詩のトリセツ

小林真大

Masahiro Kobayashi

THE JAPANESE POETRY MANUAL

五月書房

はじめに

「詩はむずかしい」と言う人はたくさんいます。実のところ、多くの人にとって、詩はあいまいで、まったく意味の通らない、ただ言葉を羅列しただけのように見えるかもしれません。例えば、詩人**吉原幸子**（よしはらさちこ）[*1]の『**無題**（ナンセンス）』という詩の一節を読んでみましょう。

風　吹いてゐる
木　立ってゐる
ああ　こんなよる　立ってゐるのね　木

風　吹いてゐる　木　立ってゐる　音がする[*2]

こうした詩を読むと、ほとんどの人は困惑してしまうのではないでしょうか。もちろん、この詩が「風が吹いている様子」や「木が立っている様子」を表現していることは理解できます。しかしながら、私たちにとって、そうしたことは詩に書くまでもない、当たり前の事実のように思えます。「風が吹いていたり、木が立っていたりしていることは分かるけど、だから何が言いたいの？」と思わず作者に問いかけたくなるかもしれません。

しかも、このような「わけの分からない」詩が文壇から高く評価されているという現実も、さらに読者を詩から遠ざけてしまっています。実際、詩人の**渡邊十絲子**(としこ)[*3]は、詩を読むときに感じる読者の挫折感を次のようにするどく指摘しています。

詩を読むときに感じる挫折感

自分にとってはむずかしくめずらしい言いまわしが並んでいる詩なのに、それらを解説する人は平然と、どんどん読みこなしていく。自分は一行一行にわからない点があるが、そんな疑問は程度が低くて相手にしてもらえないような雰囲気である。こんな詩のどこがいいんだろうと途方にくれるようなものさえ、問答無用で「いいもの」であるように紹介されているから、自分の鑑賞力のなさを反省しなければいけないような気がする。[*4]

＊1　吉原幸子　詩人（1932〜2002）。第1詩集『幼年連祷』で室生犀星賞を受賞。『オンディーヌ』と『昼顔』で高見順賞受賞。新川和江と季刊詩誌『現代詩ラ・メール』を創刊した。

＊2　吉原幸子『詩集　幼年連祷』(歴程社、1964年)より。同書は第4回室生犀星詩人章を受賞。

＊3　渡邊十絲子　詩人(1964〜)。処女詩集『Faの残響』で小野梓記念芸術賞受賞。ほかにも書評やエッセーを手がけている。

＊4　渡邊十絲子『今を生きるための現代詩』講談社、2013年、10〜11ページ。

詩は誰にでも分析できる

彼女が言うとおり、たとえ詩の解釈を謳（うた）っているような「解説本」を読んでも、依然として詩の意味を理解できないことはよくあることです。このような解説本は詩を分析するとは言っていますが、「この一節から叙情的な雰囲気が伝わってくる」や「ここには陰湿なかげりが滲み出ている」などとあやふやなことを言うばかりで、なぜそのような思いが感じられるのか、具体的な点についてはまったく触れていません。こうした難解な本ばかりが出回っている結果、ほとんどの人が「詩は自分には合わない」と感じて、詩の世界から離れてしまっているのです。

しかしながら、詩とは決して直観でしか理解できないような、謎めいた存在ではありません。むしろ、正しい姿勢とコツさえつかむことができれば、詩は誰にでも分析できる作品なのです。こうした点を踏まえて、この本は、私たちが詩を理解する方法を学ぶために生まれました。詩とは決して小むずかしい、独りよがりな言葉ではありません。本書を通して、ぜひ詩を読む楽しさを味わってみてください。

小林真大

詩のトリセツ　詩を読むチカラを身につける！

目次

装幀……………今東淳雄
編集・組版…………片岡　力

第1章 詩とは何か

言語芸術としての詩

非日常的な芸術＝詩は、日常的な道具＝言葉を使って書かれる

詩を理解することはなぜ難しいのか？

そもそも、詩とはいったい何でしょうか？　『百科事典マイペディア』を開いてみますと、「詩」という項目には「一般に、一定の韻律に則って選ばれた句を一定の形式に配列して表現される言語芸術[*1]」と明記されています。分かりやすく言えば、詩とは

「言葉」を使った芸術作品

ということになります。

実は、これこそが私たちが詩を読むときにつまずいてしまう理由の一つなのです。というのも、私たちは詩を「芸術」として読むことに慣れていません。例えば、芸術の一種である美術について考えてみましょう。私たちは普段、絵の具を手にとることはほとんどありません。実際、学校の美術のクラスで絵の具を使うぐらいで、大人になってからは一度も絵を描いたことがないのではないでしょうか。そのような私たちにとって、絵の具を使って美しい絵を描くことは、日常とはまったくかけ離れた、まさに芸術的な活動だと感じるはずです。

一方、詩はどうでしょうか。詩は「絵の具」ではなく、「言葉」を使って作品を完成させます。言葉は絵の具と違い、私たちにとってはとても身近な存在です。実のところ、周りの出来事や自分の感情を伝えるために、私たちは日常的に言葉を使っています。私たちにとっ

て言葉とは、情報をやりとりするために使われる、便利な道具であると言ってもいいかもしれません。

言葉そのものよりも言葉が伝える内容に目が向きがち

しかしながら、普段からあまりにも言葉に使い慣れている結果、私たちは詩を「芸術」としてとらえることができなくなっています。言いかえれば、私たちは詩に描かれる言葉そのものよりも、言葉が伝える内容にばかり目を向けてしまっているのです。例えば、次の二つの文を比べてみて、どちらの文がより「くらげ」の生態を伝えているかを考えてみましょう。

1.

ゆられゆられ
もまれもまれて
そのうちに、僕は
こんなに透きとほつてきた

*1 『百科事典マイペディア』の「詩」の項目参照。

重要なのは「内容」で、「表現」は入れ物にすぎない？

2.
ゆられ、ゆられ
もまれもまれて
そのうちに、僕は
こんなに透きとほつてきた。

これら二つの文は、どちらも同じ海にふらふらと漂うクラゲの姿を描いているように見えるかもしれません。しかしながら、もう一度じっくり読んでみると、両者は表現の点で微妙に異なっています。実際、1の方は「ゆられゆられ」と書かれているように、「、」(読点)が付けられていません。一方、2の方は「ゆられ、ゆられ」のように、真ん中に読点が置かれていることが分かります。

しかしながら、私たちは普段、こうした微妙な表現の違いに意識することはほとんどないのではないでしょうか。実のところ、日常生活においては、言葉が伝える内容こそが重要であり、言葉そのものは結局のところ、単なる内容を運ぶ「入れ物」にすぎません。例えば、段ボール箱に入った商品をネットで注文する場面を想像してみてください。もしも商品が自宅に届いたら、私たちは商品の入れ物である段ボール箱を大切に保管しておくことはしません。それはもはや用済みのものとして、ゴミ箱に投げ入れてしまうのではないでしょうか。

これは、言葉における「内容」と「表現」の関係にも当てはまります。例えば、私たちは先ほどの文を読んで、これらがどちらも同じクラゲの生態を伝えていることに気づくことでしょう。そして、いったん伝えたい内容が分かってしまったら、「読点の有無」といった些細な違いは、すぐに忘れてしまいます。「ゆられゆられ」なのか、それとも「ゆられ、ゆられ」なのかといった違いは、どうでもよくなってしまうのです。

「言葉＝道具」から「言葉＝芸術」の方へ

道具から芸術へ

しかしながら、詩は決して単なるコミュニケーションの道具ではありません。それは美術や音楽と同じく、一つの芸術作品なのです。したがって、私たちは普段から持っている「**言葉＝道具**」という考え方を捨て、「**言葉＝芸術**」という考え方を受け入れる必要があります。

それでは、芸術とはいったい何でしょうか？　ロシアの文学者**ユーリ・ロトマン**[*2]はこの問

＊2　ユーリ・ロトマン　ロシアの文学者（1922～93）。構造主義の影響を受け、ロシアの文学、映画、歴史などを構造主義的なアプローチで分析した。著書に『文学理論と構造主義』『映画の記号論』などがある。

「芸術とはモデル形成体系である」（ロトマン）

『モナ・リザ』は本物そっくり（現実との類似）だから高く評価されてきた

いに対して、「芸術とは模像（モデル）形成体系である」[3]と指摘しました。モデルという言葉には「模型」という意味があります。例えば、飛行機のプラモデルは、現実に存在する大きな飛行機をプラスチックという素材によって置きかえた、飛行機の模型であると言えます。同じように、芸術とは、

現実世界のモノや現象を「絵の具」や「音符」といった別の素材で映し出すこと

であると定義できるでしょう。例えば、**レオナルド・ダ・ヴィンチ**[4]は、現実に存在していた「モナ・リザ」という女性の美しさを、絵の具とキャンバスで表現しました。ポーランドの作曲家**フレデリック・ショパン**[5]は、祖国がロシア軍に踏みにじられたことを知り、その怒りを『革命』というピアノ曲で表そうとしたと言われています。このように、芸術家は現実の人間の姿や自分が抱いた感情を、絵や音楽といった異なる素材に置きかえているのです。

こうした芸術作品を評価するうえでとても重要なのが、「現実との類似」であることは言うまでもありません。例えば、『モナ・リザ』が今日高く評価されているのは、そもそもそれが「モナ・リザ」という生身の女性を本物そっくりに、生き生きと美しく描いているからにほかなりません。こうした類似性があるからこそ、『モナ・リザ』は今でも素晴らしい作品と見なされているのです。

しかしながら、ロトマンは「生の現象とその描写における同一的なものだけが芸術的認識

現実との類似だけが芸術の価値ではない

において積極的な役割を演ずるわけではない」[6]とも述べています。言いかえれば、芸術とはただ本物と似てさえいれば良いわけではありません。実のところ、もしも芸術が現実の世界を「本物そっくりに」描くことにあるのであれば、スマホのカメラの方が芸術よりも優れていることになってしまいます。それでは、芸術の価値とはいったいどこにあるのでしょうか？

この問いに対してロトマンは、

芸術の価値はモノの「本質」をつかみ出すことにある

と指摘しました。例えば、ある芸術家がリンゴの絵を描いたとしましょう。私たちはその絵を見たとき、そこに描かれている「赤い色と丸い線の結合」を、現実のリンゴとしてすぐさま認識することができます。

「芸術の価値はモノの「本質」をつかみ出すこと」（ロトマン）

しかしながら、よく考えてみると、そもそも絵に描かれているのは、単なる赤い絵の具に

＊3 ユーリ・ロトマン『文学理論と構造主義』磯谷孝訳、勁草書房、1978年、30ページ。

＊4 レオナルド・ダ・ヴィンチ イタリアのルネサンス期を代表する芸術家（1452～1519）。芸術と科学の合致を目指した、いわゆる「万能の人」であり、ルネサンス美術の完成者、また晩年は解剖学や機械設計の研究者として知られた。おもな作品は『最後の晩餐』『モナ・リザ』など。

＊5 フレデリック・ショパン ポーランドに生まれのちにフランスで活躍した作曲家（1810～49）。祖国ポーランドのポロネーズやマズルカを楽曲形式として用い、愛国心、繊細な神経、孤高な生活などのなかから生まれる独自の表現様式を確立した。

＊6 ユーリ・ロトマン 、前掲書、22ページ。

リンゴの本質は「赤い色」や「丸み」にある

芸術の目的とは、ある物体や現象の本質を発見し、それをさまざまな素材を通して人々に伝えること

すぎません。実際、絵に描かれているリンゴは、本物のリンゴのような味も、香りも、肌ざわりもない、まったくの別物です。つまり、私たちは本物のリンゴのような味や香りがまったくない、ただの「赤い色と丸い線の結合」を、リンゴとして認めているのです。

それでは、なぜ私たちはそのような絵をリンゴとして認識しているのでしょうか？　ロトマンによれば、それはすなわち、その絵がリンゴの「**本質**」を示しているからにほかなりません。つまり、白いキャンバスに「赤い色と丸い線の結合」を描いただけの絵が、私たちにリンゴとして認識されるということは、ほかならぬそうした「赤い色」や「丸い線」といった特徴こそが、現実のリンゴにとって「一番大事な部分」であるということを意味しているのです。

反対に、たとえ誰かがリンゴの香りがする液体を発明したとしても、私たちはそれをリンゴと認識することはないでしょう。なぜなら、私たちはリンゴの本質が「香り」にではなく、「赤い色」や「丸み」にあることを無意識のうちに知っているからなのです。

この法則は、どの分野の芸術にも当てはまります。画家のダ・ヴィンチは、なぜモナ・リザが美しいのかについて考え、そこに秘められた「美の本質」をキャンバスに描きました。音楽家のショパンも、怒りとは何かについて思いをめぐらせ、「怒りの本質」を音で表現しました。このように、芸術の目的とは、ある物体や現象の本質を発見し、それをさまざまな素材を通して人々に伝えることにあると言えるでしょう。

詩においても、こうしたメカニズムは同じです。私たちの世界は、決して普通の言葉では

表現できないような、さまざまな現象で満ちあふれています。「今感じているこの美しさはどう表現すればいいのだろう?」「生きる喜びとは一体なんだろう?」「この感動はどこから来るのだろう?」と考えたとき、私たちはそれらの問いが決して普通の言葉では答えられない、人生の本質的な問いであることに気づくのです。もちろん、「美しい」や「うれしい」といった言葉を使うことで、自分の感動をある程度は伝えることができるかもしれません。しかし、そうした言葉は私たちの感動を本当に反映していると言えるでしょうか。むしろ、そうしたありきたりな言葉が使われてしまうことで、あたかも感動の本質が「分かった」かのように「錯覚」してしまうのではないでしょうか。この点について、詩人の**吉野弘**[*7]は次のように指摘しています。

松という言葉が松そのものではない、ということぐらいは、誰でも知っていますが、松という言葉を使いなれてゆくうちに、松についてすべてを知っているつもりになるとい

＊7　吉野弘　詩人（1926～2014）。平易な言葉で人間の温かみを描いた叙情詩で知られる。詩集『感傷旅行』で読売文学賞受賞。他に『幻・方法』『自然渋滞』など。

日常的な言葉では世界の本質をうまく伝えられない

詩人は世界の「神秘」を感じとり、その本質を言葉によって表現する

う傾きが生じやすいのです。言葉の日常的な使われ方は、〝すべて知っているつもり〟の使われ方といってもいいでしょう。

もちろん、それは無意識のうちにそうなっているのですが、そのために、対象に深い注意を払わないという結果になりやすいのです。つまり、言葉の日常的な使われ方では、言葉がある対象に人を引き合わせてくれると同時に、その対象に深入りすることを妨害するという姿をとるのです。[*8]

吉野が述べているように、日常的な言葉をいくら使っても、私たちは世界の本質をうまく伝えることができません。自分たちが経験している「美しさ」や「喜び」は、使い古された言葉では決して表現することができないのです。

それに対して、詩人はさまざまな世界の「神秘」を感じとり、その本質を言葉によって表現しようとします。実際、詩人である**大岡信**[*9]や**黒田三郎**[*10]は、こうした詩の役割について次のように述べています。

> 感動という、それ自身では形式も質量も持っていない、純粋な力そのものに、自己を実現する機会を与えるのが形だ。そして、この形を造ることが芸術の究極の目的だといっていい。われわれの日常生活の中に流れ、あるいはひそんでいながら、通常は不可視のものと考えられている力に形を与えること。実際、ぼくらが真に「見た」と感ずるのは、

不可視のものが現実に可視的にされているのを目撃するときである。[*11]〔傍点は引用者〕

絵画を見、詩をよむと、そこにだれでもが感じるような対象があるように思われます。しかし、それは絵画にならなければ、詩にならなければ、気のつかないままなのかもしれません。絵画を見たから、詩をよんだから、ああ、自分もそう感じていたのだと、それをあたりまえのことのように、結果として思うと言ったほうが、より適切かもしれません。[*12]

詩は人生の本質を言葉によって表現する

彼らが指摘するように、詩は私たちが普段見ることのできない人生の本質を、言葉によって表現することができます。自分が感じた感動をなんとかして形にしたいという芸術家たちの熱い思いが、私たちの心をはげしく揺さぶり、いつまでも印象に刻まれる、すばらしい作品を生みだすのです。

＊8 吉野弘『詩の楽しみ』岩波書店、1982 年、5 〜 6 ページ。

＊9 大岡信 詩人（1931 〜 2017）。『紀貫之』で読売文学賞。1954 年から朝日新聞に連載をはじめた『折々のうた』で菊池寛賞。平明なことばで批評性と抒情性を追究した。

＊10 黒田三郎 詩人（1919 〜 80）。『ひとりの女に』で H 氏賞受賞。庶民的現実に取材しながら、現代の危機的状況を平易に表現した。

＊11 大岡信『現代詩試論／詩人の設計図』講談社、2017 年、94 ページ。

＊12 黒田三郎『詩の作り方 二訂版』明治書院、1993 年、37 ページ。

詩においては、言葉は情報を伝えるだけの「入れ物」ではない

詩を読む方法

ここまで、私たちは詩が芸術であること、詩人が言葉を人生の真理や感動を伝えるための「素材」として用いていることを学びました。もしも詩が一つの芸術であるならば、私たちはどのように詩を読むべきなのでしょうか。言いかえれば、詩を理解するための方法とは、いったいどのようなものなのでしょうか。

まず重要なのは、言葉に対する今までの常識的な見方を捨て去ることです。詩においては、言葉はもはや何らかの情報を伝えるだけの「入れ物」ではありません。この点に関して、**谷川俊太郎**[*13]は次のように述べています。

> 意味が邪魔なんですね。自分が感じていることは、意味だけじゃないし、意味としてもものすごい多義的なものを感じているのに、ことばはどうしても黒か白かっていうふうに、一義的に分けていくじゃないですか。何とかそれをもっと統合して、全体的なものを表現したいと思うんですね。[*14]

谷川が指摘しているように、私たちは言葉を見ると、ついついそこから何らかの意味を読みとろうとしてしまうかもしれません。しかしながら、先ほども述べたように、詩は言葉の意味を伝えるのではなく、言葉という素材を使って、現実世界の本質を描こうとしているの

であり、言葉の用い方がまったく異なります。
例えば、この章の最初で取りあげた文章をもう一度見てみましょう。

1.
ゆられゆられ
もまれもまれて
そのうちに、僕は
こんなに透きとほつてきた

2.
ゆられ、ゆられ
もまれもまれて

＊13　谷川俊太郎　詩人(1931～)。初の詩集『二十億光年の孤独』で脚光を浴びる。以降、詩作のほか劇作、作詞、評論、海外児童文学の翻訳などで幅広く活躍。

＊14　谷川俊太郎「谷川俊太郎氏に聞く　詩はなくても生きていけるけれども音楽はなくちゃ生きていけない」『音楽教育実践ジャーナル（12）』日本音楽教育学会、2014年、9ページ。

読点の効果の例：金子光晴『くらげの唄』

そのうちに、僕は
こんなに透きとほつてきた。

2は、詩人の**金子光晴**[*15]が書いた**『くらげの唄』**の冒頭です。なぜ彼は1のように「ゆられゆられ」と書かず、わざわざ「ゆられ、ゆられ」というように、読点を文の途中で入れたのでしょうか？

もしも読点がある場合、私たちは「ゆられ」という言葉を読んだあと、一瞬の休止を置くことになります。一方、「もまれもまれて」の方には読点が置かれていないので、読者は一息で読もうとすることでしょう。

実のところ、こうした、読みにおける一瞬の停止や、連続した流れこそ、クラゲの動きを見事に表現していると言えるのではないでしょうか。クラゲは海の波によって絶えず流れていく生物です。例えば、小さな波が一定のテンポで押し寄せてくることもあるでしょう。その場合、クラゲも小さな波に合わせて、小刻みな動きを繰り返すに違いありません。「ゆられ、ゆられ」とは、こうしたクラゲのリズミカルな動きを読点の配置によっていきいきと写し出しているのです。

一方、もしも大きな波が押し寄せてきたらどうなるでしょうか。クラゲは一瞬も止まることなく、すぐさま波におし流されてしまうことでしょう。このようなスピーディなリズムも、「もまれもまれ」という、まさに流れるような一節によって鮮やかに描かれていることが分かります。

このように、作者は読点を加えたり、省いたりすることによって、クラゲの本質を巧みに表したのだと言えます。文学者の首藤基澄が指摘しているように、この詩では「海を浮遊する動物の動きが、そのまま一つのリズムとなり、繰り返され[*16]」ているのです。

この例から分かるように、私たちが詩を理解するためには、詩人がどのように言葉を選んでいるのかという、「**言葉の使い方**」について学ばなければなりません。あたかも美術の授業で絵の具や筆の選び方・使い方を学ぶように、私たちは詩のメカニズムを理解することが可能となります(こうした点については第4章で詳しく見ていきます)。

また、詩人がどのように言葉を用いているのかを知るためには、詩をさまざまな視点から分析していかなければなりません。例えば、さきほど私たちは「ゆられ、ゆられ」という文における読点の効果について考えました。いわば、この詩を前述した「**文の構造性**」という

詩人の言葉の使い方＝言葉の選択、配置、構造などを習得する

＊15　金子光晴　詩人（1895～1975）。フランスの象徴派や高踏派の影響を消化した華麗な作風の詩集『こがね虫』『水の流浪』を出した。戦争を痛烈に否定した抵抗詩集『鮫』を出したあと沈黙を守り、太平洋戦争後は『落下傘』『蛾』ほか旺盛な詩活動を続けて詩壇に重きをなした。

＊16　首藤基澄「金子光晴「くらげの唄」」『國文學 解釈と教材の研究（32）』學燈社、1987年、79ページ。

視点から分析していたと言えるでしょう。一方で、私たちはこの詩を**「リズム」**や**「イメージ」**といった、他のさまざまな視点から分析することもできます。実のところ、ロトマンは詩を色々な要素が結びついた、システムの複合体であると論じました。バイオリンやピアノがお互いに共鳴して美しい交響曲を奏でるように、詩もさまざまな要素が互いに影響しあいながら、絶妙なメロディーを奏でているのです。そうであれば、詩を色んな面から分析していくことは、詩を理解する上で欠かせないプロセスであると言えるでしょう。

そこで、本書では詩の要素を大きく「リズム」「イメージ」「構造」という3つのパートに分け、それらの要素がどのような効果をもたらしているのかについて解説していきます。これら一つひとつの要素が作品全体とどのように結びついているのか、そのしくみについて理解することができれば、詩をより一層おもしろく、より深く味わうことができるに違いありません。次の章ではまず、詩の「リズム」について考えてみましょう。

第2章
詩のリズム

言葉とは「記号表現」と「記号内容」が合わさったもの

前章で、私たちは詩が芸術であることを学びました。画家が絵の具を使い、音楽家が音符を用いる一方、詩人は言葉を通して深い感動や世界の神秘を読者に伝える役割を担っています。ここからは、詩人がどのように言葉を用いて感動を表現しようとしているのか、その手法について見ていきましょう。

詩の手法について知るためには、まずは詩の素材である言葉について理解することが大切です。言葉は大きく二つのレベルに分けることができます。例えば、「お母さん」という言葉について考えてみましょう。「お母さん」という言葉を聞いて、私たちが思い浮かべるのは、やさしい（もしくはこわい）母親のイメージです。つまり、「お母さん」という言葉は、私たちに母親の姿を思い起こさせる機能を持っていると言えるでしょう。このように、言葉を見たり聞いたりすることで、私たちの心の中に生まれる様々なイメージは、言葉の「**記号内容**」と呼ばれています。

一方、「お母さん」という言葉には、母親のイメージ以外にも、「OKAASAN」という音や「お・か・あ・さ・ん」という文字も含まれています。そもそも、こうした音声や文字がなければ、私たちは母親の姿をイメージすることができません。このように、イメージを生みだすために必要な言葉の音や文字は「**記号表現**」と呼ばれています。

つまり、言葉とは「記号表現」と「記号内容」が合わさったものであると言って良いでしょう。私たちは、「OKAASAN」という「記号表現」を相手に伝えることで、「母親のイメージ」という「記号内容」を相手の心の中に生みだしているのです。

言葉は音という聴覚的な情報と、イメージという視覚的な情報が合わさって成り立っている

それでは、今度は「記号表現」と「記号内容」という言葉の構造を別の角度から見てみましょう。私たちは「記号表現」が「OKAASAN」という音を表していることを学びました。このことは、言葉が「音楽的な要素」を含んでいることを示しています。「お母さん」という言葉を例に挙げるなら、この言葉は「O」「KA」「A」「SAN」という4つの音で構成されており、それらが合わさって一つのリズムを作りあげているのです。

一方、言葉の「記号内容」が心の中にイメージを生みだしていることも私たちは学びました。「お母さん」と言われたとき、私たちはいわば「眼を閉じても見える母の像[*1]」を思い描くことができるのです。これはすなわち、言葉は「視覚的な要素」も含んでいると言えるでしょう。実際、心に浮かんだ母親のイメージを、私たちは絵に描いて表すことができます。つまり、言葉は音という聴覚的な情報と、イメージという視覚的な情報が合わさることで成り立っているのです。

言葉のこうした性質は、とてもユニークであると言えます。作曲家は音符を使って美しい

＊1　矢田部達郎『心理学初歩』創元社、1951年、245ページ。

詩は、音楽と美術のいいとこ取り

曲を作りだしますが、音楽には視覚的な情報が欠けています。一方、画家は絵の具を用いて絵を描きますが、そこから聴覚的な情報を得ることはできません。しかしながら、詩は、読む人に音楽的なリズムを伝えると同時に、様々な視覚的なイメージも伝えることができます。いわば詩は、音楽と美術のいいとこ取りであると言えるのです。

　詩人は、言葉のこうした聴覚的・視覚的な効果をとことんまで追求しようとします。ある言葉の音や形がどのような意味を帯びているのか、言葉の組み合わせがどのようなイメージを生みだすのか、などといった点について細心の注意を払っているのです。したがって、詩の本質を読みとるためには、私たちもこうした要素について考える必要があると言えるでしょう。

音声象徴性

　例えば、詩を構成している基本的な要素と言えば、まず「**音**」という単位が挙げられます。例えば、「あ、ネコだ！」と誰かが叫んだとき、この文は

「A」「NE」「KO」「DA」

という4つの音で構成されています。このように、文や単語は、必ず音という単位によって

成り立っているのです。

しかしながら、なぜあのかわいい動物を必ず「NEKO」という音で呼ばなければならないのでしょうか? よく考えてみると、あの動物を「NEKO」と呼ばなければならない、必然的な理由はまったくありません。実際、アメリカではネコを「cat（キャット）」と発音しますし、中国では「mao（マオ）」と呼んでいます。つまり、文化や場所が違えば、ネコを表す音も違ってくるのです。

この事実を初めて理論として打ち出したのが、スイスの言語学者**フェルディナン・ド・ソシュール**[*2]です。ソシュールは、言語の音と意味の関係を調べていくうちに、ネコが「NEKO」と呼ばれなければいけない根拠などは存在しないことを指摘しました。つまり、私たち日本人がネコのことを「NEKO」と呼ぶようになったのは、単なる習慣的なものであり、いわば一種の気まぐれに過ぎないのです。この点について、ソシュールは「ある聴覚イメージとある概念を結びつけるつながり……（中略）……は、根源的に恣意的なもの[*3]」であると形容

「言語の音と意味の関係は恣意的」（ソシュール）

＊2 フェルディナン・ド・ソシュール スイスの言語学者（1857〜1913）。彼の死後出版された『一般言語学講義』は、当時歴史的な面に集中していた言語研究を記述言語学へと向かわせ、個別的なものの寄せ集めになりがちだった記述に構造、体系の骨組みを与える上で決定的な役割を果たした。

＊3 F. de ソシュール『ソシュール 一般言語学講義：コンスタンタンのノート』影浦峡訳、東京大学出版会、2007年、96ページ。

しています。

しかしながら、たとえ言葉の音とそれが指し示す概念との結びつきが気まぐれであったとしても、言葉の音と意味との間には何らかの強い結びつきがあるように感じることがあるかもしれません。例えば、「ふらふら」「ふわふわ」「ふかふか」といった言葉について考えてみましょう。なぜこれらの言葉は、どれも「不安定さ」や「軽さ」を意味しているのでしょうか？　一つの可能性として、こうしたニュアンスが「ふ」という言葉の音と密接に関わっているからであると考えることができるかもしれません。つまり、「ふ」という音には、「不安定さ」や「軽さ」といった意味が込められていると言えるのではないでしょうか。このように、「ある音がある特定の意味を伝える」性質を、「**音声象徴性**」と呼びます。


ある音がある特定の意味を伝えること＝音声象徴性

実のところ、こうした考えは決してめずらしいものではありません。実際、ハンガリーの言語学者**スティーヴン・ウルマン**[*4]も、音と意味との間には隠されたつながりがあると『**意味論**』の中で指摘しています。それでは、音と意味とのあいだには、どのような関係性が存在するのでしょうか？

こうした音の構造について先駆的な研究を行ったのが、ロシアの言語学者**ローマン・ヤコブソン**[*5]です。ヤコブソンは、口の開き具合や舌の位置に基づいて、**母音**（ア・イ・ウ・エ・オなど）を三角形の形で分類しました（左ページの図参照。ちなみに、これは分かりやすいように簡略化したもので、ヤーコブソンが考案した実際の三角形はもっと複雑です）。水平方向のX軸は、音の高低を表しています。つまり、母音「う（u）」は低く、鈍い音を発するのに対し、母音「い

（i）」は高く、鋭い音を発する音であることが分かります。

一方、垂直のY軸は、音の聞こえ具合を示しています。例えば、母音「あ（a）」は、音のエネルギーが一点に集まっており、遠くからでもよく聞こえる音であることが分かります。それに対し、母音「う（u）」と「い（i）」は、音のエネルギーが分散してしまう傾向があり、「あ（a）」に比べて聞きとりづらく、小さく聞こえてしまうのです。

それでは、こうした母音の特徴を実際の詩の分析に当てはめてみましょう。次の作品は、**三好達治**[*6]の**『雪』**という詩です。

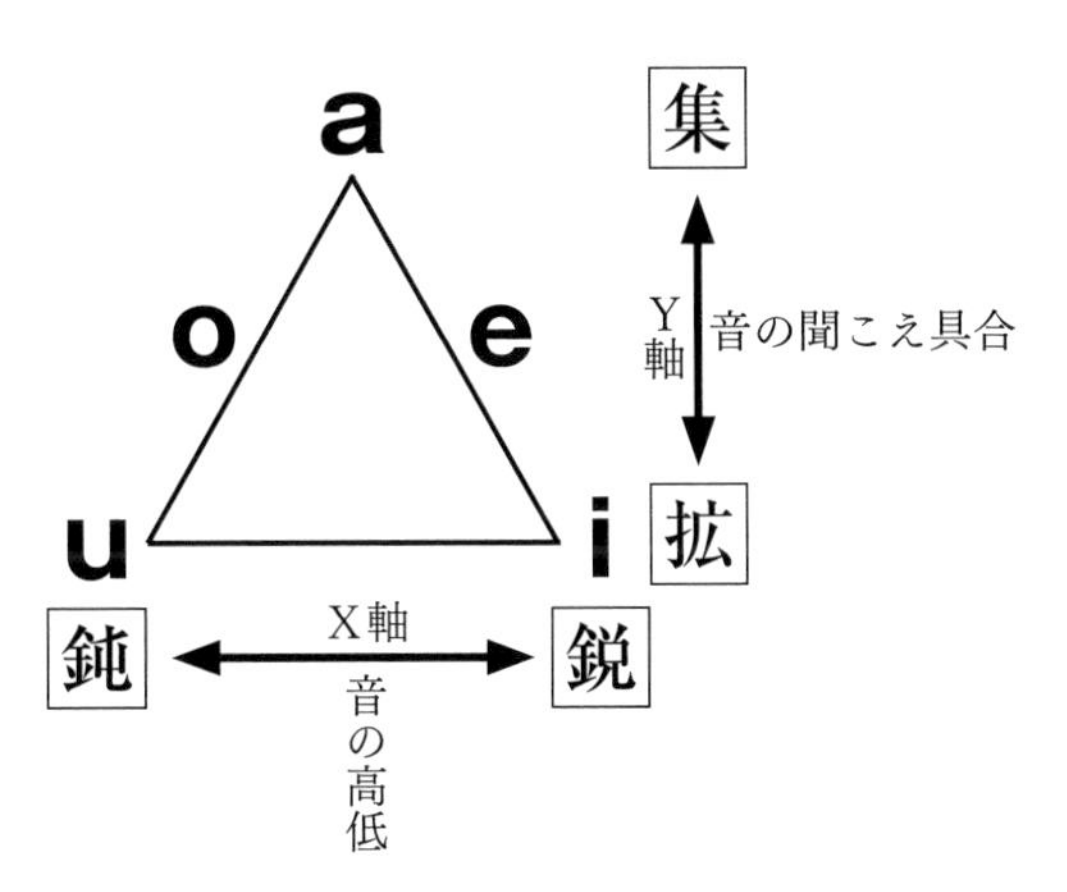

＊4 スティーヴン・ウルマン ハンガリーの言語学者（1914～76）。生涯のほとんどをイギリスで過ごした。名著『意味論』は、多くの国で翻訳されている。ほかに『言語と意味』など。

＊5 ローマン・ヤコブソン ロシア生まれのアメリカの言語学者（1896～1982）。一般言語学をはじめ言語学の非常に広い分野にわたって優れた業績を上げているが、特に音韻論と形態論における構造主義的方法の推進と、言語現象を広い視野で捉える総合的学風とで知られる。

＊6 三好達治 詩人（1900～64）。ヨーロッパから入ってきたモダニズムの表現方法を用いて、日本の伝統詩歌や漢詩が表現した抒情世界を知的につくりかえようとした。詩集に『測量船』『南窗集』などがある。

太郎を眠らせ、太郎の屋根に雪ふりつむ。
次郎を眠らせ、次郎の屋根に雪ふりつむ。

ここで反復されている「屋根に雪ふりつむ」をローマ字に変換すると、

Yaneni Yuki furitumu

となります。ここから母音だけを取り出してみると、この語句の構造が

a-e-i-u-i-u-i-u-u

という形になっていることが分かります。ヤコブソンの理論で解釈するならば、この詩は「a」や「e」といった明るくて大きな音から、「i」や「u」といった重く、静かな音へと変化しているのだと考えることができます。いわば、「つ（tu）」や「む（mu）」といった、口をつぐんだ形が、積み重なっていく雪のイメージ自体を表現していると言っても良いかもしれません。実際、文学者の柏木隆雄は『雪』における母音の構造について、次のように述べています。

三好達治『雪』における母音の構造

三好の詩「雪」においてuとかoといった音が重用されて、重く、暗い、遅いもののイメージが、実に巧みに強調されているのがわかるだろう。

繰り返しの語句「屋根に雪ふり積む(ママ)」もまたYane ni Yuki furitumuと、Yaの音で始めて、謂(い)わばAの文字形を発話者の脳裏に描かせるように、大きやかに覆う屋根をイメージさせながら、だんだんにne、niと音を緊張させていって、Yuki、furitumuとuの音が4つ重なることで、重く、暗く、静謐(せいひつ)な音律を響かせている。[*7]

柏木が指摘するように、『雪』においては、「u」の音がくり返されることにより、読者は雪が重たく降り積もった情景を思い浮かべることができます。言葉の母音は、それらがうまく配列されることによって、様々な意味を詩の中に作りだすことができるのです。

それでは、「かきくけこ」といった「k」の音や、「さしすせそ」といった「s」の音には

母音が適切に配列されることで、様々な意味を詩の中に作りだす

＊7　柏木隆雄「三好達治の詩的空間　―フランス詩との関わりをめぐって―」『大手前大学論集（15）』大手前大学、2015年、45ページ。

子音のニュアンスの例：正岡子規「柿くへば〜」

どのような意味が込められているのでしょうか？　こうした音は通常、母音とは区別されて**子音**と呼ばれています。言語学者の浜野祥子は、「くよくよ」「こそこそ」「かたかた」といった**オノマトペ**（38ページ以降で詳述）を調べることで、子音がもたらす意味について分析しました。[*8]

pの音：張りつめた音で、軽く、小さいイメージ。
bの音：同じく表面が張っているが、重く、大きいイメージ。
tの音：緊張していない。叩く音、軽い、小さい。
dの音：同じく緊張していないが、重く、大きい。
kの音：硬い、深い、軽い、小さい。
gの音：硬い、重い、大きい。
sの音：なめらか、軽い、小さい。
zの音：なめらか、重い、大きい。
hの音：空気が流れる、息のイメージ。
mの音：曖昧なイメージ。[*9]

もちろん、オノマトペだけに限定しなくても、こうした子音のニュアンスは文学作品から伝わってくることがあります。例えば、**正岡子規**[*10]の**「柿くへば　鐘が鳴るなり　法隆寺」**と

いう句について考えてみましょう。これをローマ字に変換すれば、

Kaki kueba Kane ga naru nari Hōryūji

となります。ここで気づくのは、冒頭に登場する「k」の音のたたみかけです。一般的に、このような同じ子音の繰り返しは、日常の会話ではあまりみられません。言いかえれば、正岡は何らかの意図を込めて「k」の音を反復させたと考えられます。例えば、池上嘉彦はこの句における「k」の音の効果について、次のように指摘しました。

このよく知られた俳句を読めば、誰しもある種の音的な効果を意識する。それはまず/k/の音の繰り返しであるが、ただそれだけではない。繰り返されている/k/の音が述べられている事柄と関連して、何か、意味——例えば、柿の歯応えのある固さでもよいし、あ

*8　Shoko Hamano, *The Sound-Symbolic System of Japanese*. CSLI Publications, 1998, p.127.

*9　引用箇所の音象徴は母音で終わる音節の場合。

*10　**正岡子規**　俳人、歌人(1867～1902)。『歌よみに与ふる書』以後、根岸短歌会を結成して短歌革新に尽力。俳句、短歌ともに写生を旨とする文学であることを主張した。また、野球の普及にも貢献した。

るいは批評家の言うように、食べている柿の渋さでもよい——を帯びているような印象を与える。[11]

子音のニュアンスの例：石垣りん『表札』

たしかに、「柿」や「食う」といった言葉に含まれている「k」の音は、私たちに柿の硬さや渋さのニュアンスを伝えているように思えます。このように、詩の響きに耳を傾けてみると、一つひとつの音が詩のテーマと深く関わっていることが分かるのです。ほかにも、**石垣りん**[12]の詩**『表札』**の一節を読んでみてください。

自分の住むところには
自分で表札を出すにかぎる。

自分の寝泊りする場所に
他人がかけてくれる表札は
いつもろくなことはない。

『表札』における一人称の「自分」

一読して分かるように、ここから伝わってくるのは「自分のことは自分で決めたい」という作者の強烈なメッセージです。ただし、ここで考えたいのは、なぜ作者は「私」や「僕」といった一人称を使わずに、「自分」という言葉を選んでいるのかという点です。「私」「わたくし」「僕」「オレ」など、一人称として使われている言葉はたくさんあるのに、なぜあえて作者は「自分」という、あまり使われない呼称を用いているのでしょうか?

この疑問に関して文学者の米倉巖は、作者が「自分」という言葉を使うことによって、「その母音(i)を含む(g)音[13]で鋭く重いアクセントを付けている」[14]と指摘しました。たしかに、前に述べたヤコブソンの理論において、母音「i」は他の母音と比べて一番鋭い音と見なされていますし、また「g」という子音も、重いイメージを読者に植えつける音です。こうした重く、鋭い音によって、読者は「自分」という言葉の存在感に引きつけられ、同時にそれが、「個人の尊厳は守られるべきだ」という詩の強烈な主張とも密接に結びついていることを理解します。このように、言葉が放つ音の響きは、詩において欠かせない要素の一つとなっているのです。

言葉の音の響きは、詩において欠かせない要素の一つ

＊11 池上嘉彦『記号論への招待』岩波書店、1984年、19ページ。

＊12 石垣りん 詩人(1920〜2004)。銀行勤務のかたわら詩作を続ける。日常語を用い、働く女性を描いた詩や、戦争体験に基づく社会性のある作品を発表した。『表札など』でH氏賞を受賞。

＊13 ローマ字表記であれば「Jibun」だが、発音としてはJ(ジェー)音よりもG(ジー)音に近い。

＊14 米倉巖「石垣りん「表札」」『國文學　解釈と教材の研究(32)』學燈社、1987年、104ページ。

オノマトペ

> オノマトペ＝自然界にある様々な音を文字として写しとった言葉
>
> 擬音語＝物が発する音
>
> 擬態語＝音を発しない感情や状態を言葉でまねたもの
>
> オノマトペの持つ圧倒的な情報量

音がもたらす印象について考えたとき、その効果が最も強く現れる瞬間とは、やはりオノマトペが使われる時でしょう。前にも触れたように、オノマトペとは、自然界にある様々な音を文字として写しとった言葉のことです。オノマトペには、雷の「ゴロゴロ」や心臓の「ドキドキ」のように、物が発する音（**擬音語**）や、「くねくね」「じろじろ」のように、本来音を発しない感情や状態を言葉でまねたもの（**擬態語**）などがあります。こうしたオノマトペの力について、言語学者の福田益和は次のように述べています。

> これ等の語群（一般に擬音語・擬態語などと呼ばれる）は語形にも個性があり……われわれの理性よりも感性につよく訴える力をもち、そのために表現力・描写力の点で一般の語とくらべて一段と鮮明な印象を与え、真に迫る表現効果を発揮することがある。*15

オノマトペを目にするとき、私たちは音そのものを連想するだけではなく、特定の感情やイメージまでも感じとることができます。つまり、音の情報性という次元で考えるなら、オノマトペは圧倒的な情報量を担っていると言えるのです。

こうしたオノマトペの重要性について敏感だったのは、詩人たちです。彼らはオノマトペの重要性に注目して、それを最大限に活かそうと試みました。一例として、**中原中也***16の詩

オノマトペの例：中原中也『少年時』

『少年時』を見てみましょう。

黝（あおぐろ）い石に夏の日が照りつけ、
庭の地面が、朱色（しゅいろ）に睡（ねむ）っていた。

地平の果（はて）に蒸気が立って、
世の亡ぶ、兆（きざし）のようだった。

麦田（むぎた）には風が低く打ち、
おぼろで、灰色だった。

＊15　福田益和「象徴辞の用法をめぐって　一金子光晴の場合（1）ー」『長崎大学教養部紀要　人文科学篇（24 - 2）』長崎大学、1984年、2ページ。

＊16　中原中也　詩人、歌人、翻訳家（1907～37）。奔放な青春を過し、ダダを経てフランス象徴派へ傾倒。『朝の歌』など、虚無と倦怠に満ちた生の諸相をうたう詩篇を残した。

『少年時』におけるオノマトペ「ギロギロ」

翔(と)びゆく雲の落とす影のように、
田の面(も)を過ぎる、昔の巨人の姿——

夏の日の午過(ひるす)ぎ時刻
誰彼(だれかれ)の午睡(ひるね)するとき、
私は野原を走って行った……

私は希望を唇に嚙みつぶして
私はギロギロする目で諦(あきら)めていた……
噫(ああ)、生きていた、私は生きていた！

文学者の橋本敬司は、この詩の中で「ギロギロ」というオノマトペだけがカタカナで表記されていることに注目しました。つまり、作者である中也は、読者の意識を「ギロギロ」という言葉に向けさせるよう、視覚的な効果を仕組んでいたと言えるのです。[*17]

それでは、この「ギロギロ」というオノマトペには、どのような効果があるのでしょうか？　私たちはすでに、「g」という音には、硬くて、力のこもったイメージが込められていることを学びました。さらに、心理学者の築島謙三の実験によれば、「o」という母音から、重く、丸まった感じや、どっしりとした印象を受けます。[*18]

仙人は「フォッフォッフォ」と「o」の音で笑う

例えば、よくアニメに登場する仙人の笑い声について考えてみましょう。なぜ、仙人が笑うときは「アハハ」や「エヘヘ」といった「a」や「e」の音ではなく、「フォッフォッフォ」という「o」の音なのでしょうか？　築島の指摘に基づくなら、それは「o」の笑い声が、私たちに仙人の落ちついた状態や内なる強さを感じさせるからにほかなりません。たしかに、たいていの場合「フォッフォッフォ、待ちわびたぞ、勇者よ」と笑う仙人は、その老いぼれた姿とは裏腹に、超人的な力を持ち合わせています。

こうした点を考慮すれば、中也が「ギラギラ」や「キラキラ」ではなく、「ギロギロ」という言葉で自分の目を形容したことにもうなずけます。橋本が指摘するように、読者は「ギロギロ」の「ギ」の音から少年の力強さを感じ、一方で「ロ」の音からは少年が内に秘めている我慢強さを読みとることができるのです。これが「ギラギラ」ではあまりに強烈すぎますし、「キラキラ」も外見だけが輝いているように見えるので、内面の強さが伝わってきません。つまり、「諦めながらも生きているという、ぐっと抑えつつもしたたかである生命力

＊17　橋本敬司「オノマトペの力　一詩語としてのオノマトペー」『表現研究（62）』、表現学会、1995年、94ページ。

＊18　築島謙三「語音象徴に關する一考察」『心理学研究（16）』日本心理学会、1941年、237ページ。

を表せる言葉は「ギロギロ」をおいて他には無かった[19]」のです。

リズムの重要性

もちろん、こうした音の持つ力は、作品の中で何度も反復されることによって、より強い効果を発揮します。実のところ、たった一度の音では、読者はその意味を十分に理解することができないかもしれません。したがって、詩人は音を反復させることで、詩の中に「リズム」を生みだすよう試みてきました。実際、人類の歴史においてリズムは、詩を構成する最も重要な要素と見なされています。なぜ、それほどまでにリズムが重視されてきたのでしょうか?

それは、リズムがこの世界そのものであるからにほかなりません。そもそも、私たちの世界はリズムで満ちあふれています。心臓は一定のリズムで鼓動し、昼と夜は日々交代を繰り返します。サケは必ず、産卵のために4年ごとに自分が生まれた川へと戻ってきます。地球は1年という周期で太陽の周りをめぐり、春・夏・秋・冬というリズムを奏でます。このように考えると、リズムは私たちの生そのものであると言っても過言ではありません。

リズムはこの世界そのもの

もしリズムが世界そのものを表しているとすれば、この世界の真実を語ろうとする詩人が、詩の中にリズムを生みだそうと試みるのも当然です。例えば、アメリカの詩人**ラングストン・ヒューズ**[20]は、詩におけるリズムの重要性について次のように述べています。

リズムとは、私たちが分かち合っているものです。私とあなたとこの世界のすべての木々、動物、人々、星や月や太陽とも分かち合い、私たちの家であるこの素晴らしい地球のかなたにある広大な宇宙とも分かち合っているがリズムなのです。[*21]

詩のリズムは詩のメッセージを読みとるうえで重要

ヒューズがこう指摘しているように、私たちはリズムを通して相手の感情を読みとることができます。激しいロックの音楽を聞くと興奮が高まり、やさしいクラシックを聞くと気持ちが落ちつくように、リズムは私たちに強い思いを伝えることができるのです。こうした点で、詩のリズムを理解することは、詩が訴えるメッセージを読みとるうえできわめて重要であると言えます。

＊19 橋本敬司、前掲書、94ページ。

＊20 ラングストン・ヒューズ アメリカの詩人、作家(1902～67)。コロンビア大学中退後、1926年に詩集『もの憂いブルース』でデビュー。生涯の大部分をニューヨークの黒人居住区ハーレムで過ごした。

＊21 Langston Hughes, The Book of Rhythms, New York: Oxford University Press. 2000, p. 20.

英語は強弱のアクセントで成り立っていて、詩も音節の強弱によってリズムが作られている

リズムの作り方――「音の強さ」

それでは、そもそも詩のリズムはどのように作られるのでしょうか？　実は、日本語で書かれた詩は世界的に見て、とてもユニークなリズムを持っています。この点について考えるために、外国語で書かれた詩、例えば英語の詩について少し考えてみましょう。

英語は、一つひとつの単語にアクセントが付いてます。言いかえれば、単語の中に強く発音する部分と、弱く発音する部分が存在しているのです。例えば、「Yesterday（昨日）」という言葉は、「Yes-ter-day」というように三つの音節（音のパーツ）に分けることができますが、このうち最初の音節「Yes」に強いアクセントがかかっています。つまり、アメリカ人は「Yes-ter-day」のように「Yes」を強く発音しているのです。一方、「Tomorrow（明日）」の場合は、「To-mor-row」のように、真ん中の音節が強く発音されます。こうしたアクセントの問題は、中学の英語の授業でも頻繁に出題されているので、知っている人も少なくないかもしれません。

このように、英語は強弱のアクセントで成り立っているため、詩も音節の強弱によってリズムが作られています。英語の詩で最も一般的なのは「**弱強五歩格**」、つまり「弱い」音節と「強い」音節が交互に登場するリズムです。例えば、**ウィリアム・シェークスピア**[*22]の戯曲**『ハムレット』**の有名な

To be, or not to be, that is the question.（生きるべきか死ぬべきか、それが問題だ）

というセリフは、

To **be**, or **not** to **be**, that **is** the **ques**-tion.

英米の伝統的な詩は、「弱強」のリズムを用いることで感情のニュアンスを伝えている

となり、「弱強五歩格」という名前のとおり、「弱」→「強」というリズムが5回繰り返されていることが分かります。アメリカやイギリスの伝統的な詩は、こうした「弱強」のリズムを用いることで感情のニュアンスを伝えているのです。

「弱強五歩格」は一般的に「強」の音が最後に来るので、断定的かつ力強いといった印象が読み手に伝わります。いわば、セリフの最後に「!」マークを付け加えているようなものです。一方、先に挙げた『ハムレット』のセリフでは、シェークスピアはあえて最後に字余り

＊22　ウィリアム・シェークスピア　イギリスの劇作家、詩人（1564～1616）。ロンドンに出て俳優、座付作者として成功し、悲劇・喜劇・史劇の全分野で活躍した。豊富な用語を駆使して深い人間洞察にもとづく多彩な性格描写を行い、特に『ハムレット』は近代人の複雑な内面性を先がけて描いたものとして、のちロマン主義者の共感を得た。

シェークスピア『ハムレット』の「フェミニン・エンディング」

日本語のリズムのベースは「音の強さ」ではなく「音の数」

の「弱」音節を加えていることに注意してください。このように、最後に「弱」の音節を付け加える技法は「**フェミニン・エンディング**」と呼ばれています。「フェミニン・エンディング」の場合、弱々しい音が最後に置かれるので、読み手は登場人物の不安感や迷いを感じとります。つまり、シェークスピアはわざと「弱」でセリフを終わらせることにより、主人公ハムレットが抱いている感情を表現しようとしていたのです。

リズムの作り方――音の数

英語の詩のリズムについて理解したところで、今度は日本語の詩について考えてみましょう。日本語には、英語のような「強」や「弱」といったアクセントが存在しません。もちろん、誰かを叱ったり、誰かと内緒話をしたりするときには、自然と声が大きくなったり、小さくなったりするかもしれませんが、普段の会話において強弱のアクセントが付くことはまったくないと言って良いでしょう。したがって、日本語は、英語のようにアクセントでリズムを生みだすことができないのです。

それでは、日本人はどのようにリズムを作っているのでしょうか? 興味深いことに、日本語でリズムを作ろうとする場合、ベースとなるのは、「音の強さ」ではなく、「**音の数**」なのです。例えば、電話番号の「0120」という数字を発音してみてください。私たちは「ゼロイチニーゼロ」と、なぜか「2」という数字を伸ばして呼んでいるのではないでしょ

日本語のリズムは「4拍子」

俳句や短歌も実は4音のリズムで構成されている

うか。本来であれば、「ゼロイチニゼロ」と発音してもいいはずなのに、なぜわざわざ「2」を「ニー」と伸ばすのでしょうか?

「ゼロイチニーゼロ」の場合、「ゼロイチ」が4音、「ニーゼロ」が4音で、4音のリズムが2回続くことになります。一方、「ゼロイチニゼロ」だと、「ゼロイチ」が4音に対し、「ニゼロ」は3音となってしまうので、心地よいリズムを感じることができません。つまり、日本語のリズムは、4音で1つのリズムで成り立っているのです。このように、4音で1つのリズムを刻むことを、音楽用語で「**4拍子**」と呼びます。

実のところ、こうした4拍子のリズムは、俳句や短歌のリズムにも当てはまります。もちろん、俳句や短歌は、「**五・七・五**」や「**五・七・五・七・七**」のパターンで作られているので、一見4音のリズムで構成されてはいないように思えるかもしれません。しかしながら、実はこうした詩も、「4音+4音」である「8音」のリズムで読めるようになっているのです。例えば、次のような俳句を普段どのように読んでいるか考えてみましょう。

古池や　蛙(かわず)飛びこむ　水の音

おそらく、私たちはこの俳句をひと息で読むことはしないのではないでしょうか。むしろ、一句と一句の間に必ず**休止**を入れるはずです。文学者の坂野信彦は、こうした休止の部分も含めると、私たちは一句を8音のリズムで読んでいると指摘しました。試しに休止の音を

「・」で表してみると、たしかに8音の構成になっていることが分かります。

フルイケヤ・・・↓8音（5音＋休止3音）
カワズトビコム・↓8音（7音＋休止1音）
ミズノオト・・・↓8音（5音＋休止3音）

もちろん、「わざわざ「フルイケヤ」のあとに休止を3音も置かなくてもかまわないのではないか」と考える人もいるかもしれません。しかしながら、私たち日本人はなぜか、無意識のうちに休止を3音置くことで、8音のリズムを作っているのです。実際、言語学者の桐越舞が行った実験では、私たちは最初の句と2番目の句を同じ長さで読む傾向があるという事実が明らかとなっています。*23 つまり、私たちは最初の5音の句に休止を3つ入れ、次の7音の句には休止を1つ入れることで、同じリズムになるように調整しているのです。

文学者の遠山淳も、俳句や短歌が5音や7音ではなく、8音のリズムで構成されていると指摘し、次のように述べています。

日本の定型詩は、実は5音や7音を骨格にはしていないのである。リズムからみて、これはどだい無理な話である。拍子から日本の詩歌をとらえるならば、そのリズムが、8音をグループにして構成されていることが分かる。

日本語のリズムが4拍子系であることは、広く専門家の間で認められているところである。しかし、詩歌では、その2倍を単位として積み重ねてくるのが最も落ち着くようである。[24]

日本語は、英語のように「アクセント」を付けるのではなく、「音の数」を調整してリズムを生みだしている

このように、日本語は、英語のように強弱の「アクセント」を付けるのではなく、「音の数」を調整することによってリズムを生みだしていることが分かります。。そして日本人は、4音をベースにした8音のリズムを最も心地よいと感じ、長い間俳句や短歌に当てはめてきたと言えるでしょう。

実のところ、「音の数」だけでリズムを作るというのは、世界的に見てもきわめてユニークなケースに当たります。なぜ日本語は英語のように音の強さではなく、音の数でリズムを作ろうとするのでしょうか？　これに関して遠山は、日本文化と西洋文化の違いが大きく影響していると考えました。彼によれば、西洋文化における基本的なリズムは、心臓が繰りか

＊23　桐越舞　「韻文の言語リズムにみられる韻律フレーム型」『北海道言語文化研究（9）』北海道言語研究会、2011年、44ページ。

＊24　遠山淳「日本語定型詩のリズム　一五音と七音をめぐって一」『国際文化論集(21)』桃山学院大学総合研究所、2000年、134ページ。

えす収縮運動、すなわち「**拍動**」です。

「心臓」は人間の「中心」であり、「感情」のおさまるところ。「愛」や「恋人」にもなる。「搏動」（拍動と同じ——引用者）とは「生命の中心」の強弱運動である。英語では「搏動」のことを「ビート」とも言うが、「ビート」とは「連続打ち」のことである。したがって、「搏動」は「ダウンビート（強）」と「アップビート（弱）」がセットになっている。*[25]

このように、西洋文化のリズムは心臓の運動がベースになっており、強弱のアクセントが必ず関わっています。

それに対し、日本の文化において重要なリズムは心臓の「拍動」ではなく、「**呼吸**」のリズムです。

西洋文化のリズムは心臓の「拍動」、日本文化のリズムは「呼吸」

日本の芸道では、「吐く息」を自在にコントロールすることを求める。「息」を治めなければならない。「呼吸」は「搏動」に比較して、強弱はない。空気は静かに肺に入り、頂点を経て、静かに肺から出る。*[26]

彼は他にも、こうした日本文化の特徴が日本人の歩き方や踊りにまでも影響していると指摘しています。たしかに日本のアニメ文化では『鬼滅(きめつ)の刃』のように、いわゆる「呼吸法」によって技を繰り出す作品も生まれています。このように、日本人は昔から「呼吸」にリズムを感じてきました。呼吸の運動から、強弱のリズムが生まれることはありません。そう考えれば、俳句や短歌が強弱のリズムではなく、音の数でリズムを刻もうとしたのは、きわめて自然なことであると言えるでしょう。

新しいリズムを求めて

ここまで私たちは、日本語が4拍子のリズムを一番安定したリズムとして有していることを理解しました。いわば、「われわれ日本人は、本性的に四拍子を求めている」[*27]と言ってもいいかもしれません。そして、日本語で作られる俳句や短歌といった伝統的な詩は、一行が8音のリズムで統一されており、これもやはり安定したリズムを持っていることが分かりま

*25　遠山淳、同書、128ページ。
*26　遠山淳、同書、128〜129ページ。
*27　別宮貞徳『日本語のリズム』講談社、1977年、68ページ。

8音というリズムの枠組みは、言葉の表現に制限を加える「縛り」にもなった

す。

しかしながら、8音というリズムの枠組みが生まれたことは、同時にそれが言葉の表現に一定の制限を加える「縛り」のようなものになってしまうことも意味していました。文学者の渡辺和靖は、この点を次のように述べています。

「七五調」[*28]として表現の形式があらかじめ設定されてしまうことは、創造の努力を、表現すべき内容をいかにしてかたちよく整えていくかという作業へと、おうおうにしてすりかえてしまいがちである。そこでは、一語一語を書きしるしていくことがそのまま新しい世界の創造になっていくという、芸術の根源的なはたらきが、完全に見失われてしまうのである。[*29]

彼が指摘しているように、7音の句や5音の句を繰り返す伝統的な日本の詩は、ここちよいリズムを生みだすことはできますが、一方で非常に単調な方法でもあると言えます。それに対して、私たちの感情や自然のリズムは、生き生きとしたダイナミックなものであり、とても一つの枠に収まりきれるものではありません。そうであれば、詩のリズムも一つのフレームに無理やり押し込めるのではなく、自然のリズムに応じた、躍動的なものになるべきではないでしょうか。近代に登場した詩人たちも、こうした1行8音のリズムの単調さに限界を感じ、様々な新しいリズムを創造しようと試みました。

音数のリズムを変える

新しいリズムを生みだす一つの方法は、音の数を調節することです。例えば、4連[*30]から成る**入沢康夫**(いりざわやすお)[*31]の**『失題詩篇』**を読んでみましょう。

心中しようと　二人で来れば
ジャジャンカ　ワイワイ
山はにっこり相好くずし
硫黄のけむりをまた吹き上げる
ジャジャンカ　ワイワイ
鳥も啼かない　焼石山を

新しいリズムの例：入沢康夫『失題詩篇』

＊28　七五調　「七音五音の調子をくりかえす詩のこと」。
＊29　渡辺和靖「近代詩史試論　―朔太郎の詩を理解する前提として―」『愛知教育大学研究報告 人文科学（37）』愛知教育大学、1988年、79ページ。
＊30　連　詩を意味上のまとまりで分けたもの。
＊31　入沢康夫　詩人、フランス文学者（1931～2018）。前衛的、技巧的な詩で知られ、『季節についての試論』でH氏賞を受賞。長詩と注釈からなる『わが出雲・わが鎮魂』では読売文学賞を受賞した。

心中しようと辿っていけば
弱い日ざしが　雲からおちる
　ジャジャンカ　ワイワイ
雲からおちる

心中しようと　二人で来れば
山はにつこり相好くずし
　ジャジャンカ　ワイワイ
硫黄のけむりをまた吹き上げる

鳥も啼かない　焼石山を
　ジャジャンカ　ワイワイ
心中しようと二人で来れば
弱い日ざしが背すじに重く
心中しないじや　山が許さぬ
山が許さぬ
　ジャジャンカ　ワイワイ

ジャジャンカ　ジャジャジャンカ
ジャジャンカ　ワイワイ

文学者の角田敏郎は、この詩のリズムについて、「7音の連続を主調としながら、4・4音を効果的に配置し、殊に第五連は4・4／4・4と圧倒的に4音優勢で結んでいる」[*32]と指摘しました。実際、各行の音数を数字で表すと次のようになります。

第一連
7・7（心中しようと　二人で来れば）
4・4（ジャジャンカ　ワイワイ）
7・7（山はにつこり相好くずし）
8・7（硫黄のけむりをまた吹き上げる）

＊32　角田敏郎「入沢康夫「失題詩篇」」『國文學 解釈と教材の研究（25）』學燈社、1980年、137ページ。

4・4（ジャジャンカ　ワイワイ）

第二連

7・7（鳥も啼かない　焼石山を）

7・7（心中しようと辿つていけば）

7・7（弱い日ざしが　雲からおちる）

4・4（ジャジャンカ　ワイワイ）

7　（雲からおちる）

第三連

7・7（心中しようと　二人で来れば）

7・7（山はにつこり相好くずし）

4・4（ジャジャンカ　ワイワイ）

8・7（硫黄のけむりをまた吹き上げる）

第四連

7・7（鳥も啼かない　焼石山を）

4・4（ジャジャンカ　ワイワイ）

7・7（心中しようと二人で来れば）
7・7（弱い日ざしが背すじに重く）
7・7（心中しないじゃ　山が許さぬ）
7　（山が許さぬ）
4・4（ジャジャンカ　ワイワイ）

第五連
4・4（ジャジャンカ　ジャジャンカ）
4・4（ジャジャンカ　ワイワイ）

たしかに、各行の音の数を見てみると、「ジャジャンカ　ワイワイ」のリズムが4音であるのに対し、他の詩句はほとんどが伝統的な7音で構成されていることが分かります。4音のリズムは休止も入れると5音になりますから、通常の4拍子のリズムとはまったく違う異質なリズムがこの詩に入り込んでいると言ってもいいかもしれません。このように、この詩には7音という心地よいリズムと、4音という新しいリズムが対立的に配置されているのです。

それでは、作者はなぜ、異なるリズムを一つの詩の中に入れたのでしょうか？　この問いに答えるためには、この詩のテーマが「心中」であることを考える必要があります。心中とは、身分の違いなどにより結婚できない男女が一緒に自殺する行為です。とりわけ江戸時代では、こうした自殺が後を絶たず、幕府が心中を禁ずる命令を出したことさえあったと言われています。

ここで注目したいのは、この詩が心中を否定的に描いているという点です。心中事件は、昔から多くの日本人によって称賛されてきました。現世の社会では許されない恋を、せめてあの世で果たそうとする男女の恋愛至上主義に、人々は共感し、喝采したのです。[*33]

しかしながら、別の見方で考えてみれば、このように自殺を暗に奨励し、そこに喜びを見いだす社会は、とても不気味で恐ろしい存在なのではないでしょうか。むしろ、彼らを自殺へと追い立てる、伝統的な日本社会の方こそ変わるべきなのかもしれません。

そう考えれば、この詩があたかも皮肉めいた調子で心中の現場を描いていることもうなずけます。一般的に、心中のシーンというのは悲しく切ないものであり、見る者の同情を誘う場面であると言えるでしょう。ところが、この詩における心中は、「〈鳥も啼かない焼石山〉という荒涼たる場面で、おまけに〈山はにつこり相好くずし／硫黄のけむりをまた吹き上げる〉[*34]」というように、ユーモアたっぷりに描かれています。この詩にはいわば、「心中」を賛美する伝統的な価値観を、ユーモアによって批判しようという意図が込められているのです。

そして、このようなユーモアの精神は、4音という奇妙なリズムにも反映されていると言えます。実際、雑然として下品にも聞こえそうな「ジャジャンカワイワイ」という4音のリズムから、私たちは「読んで心地よいというものでは必ずしもないにもかかわらず、一度読

『失題詩篇』では、新しいリズム（4音）が古いリズム（7音）を押さえつけ、そのことが伝統的な心中礼賛を批判するメッセージとして機能している

んだらたちまち心に刻みつけられてしまうような[*35]」印象を受けることでしょう。しかも、この4音のリズムは、伝統的な7音のリズムをあざ笑うかのように詩の随所で爆発し、最後の連ではもはや作品のリズムを支配してしまっています。角田が述べるとおり、まさに「伝統的心象に配された伝統的7・7音に、異質な心象に配された異質な4・4音が対置され、前者を圧倒する作用をしている[*36]」のです。

このように、この詩においては、二つの対立するリズムが展開されていることが分かります。さらに、4音という新しいリズムが7音という古いリズムを押さえつけているという展開は、伝統的な日本の心中礼賛文化を批判する、重要なメッセージとして機能しているのです。

＊33　角田敏郎、同書、137～138ページ。
＊34　岸田秀樹『曾根崎心中の歴史社会学的分析』『藍野学院紀要　Bulletin of Aino Gakuin (24)』藍野大学、2012年、84ページ。
＊35　大岡信編『現代詩の鑑賞101（新装版）』新書館、1998年、147ページ。
＊36　角田敏郎、前掲書、138ページ。

イメージのリズムを作る

音の数に代わる新しいリズムの原理としての「イメージ」

詩の中に新しいリズムを生みだすもう一つの方法は、音数に変わる新たなリズムの原理を見いだすことです。ここまで見てきたように、日本語のリズムというのはすべて「音の数」によって決められてきました。それに対し、音の数に依存しない、まったく新しいリズムを作ろうと考えた詩人が登場します。

それでは、音の数に代わる新しいリズムの原理とは、一体どのようなものなのでしょうか？　この点について詩人の**野村喜和夫**[*37]は、「韻律を離れた詩が向かうのは、ひとことでいえばイメージである」[*38]と述べています。つまり、近代の詩は、リズムの重心を「音の数」から「イメージ」へと移すようになったのです。この章の冒頭でも述べた通り、イメージとは、心の中に浮かぶ視覚的な映像のことを指します。近代以降の詩においては、言葉から連想されるこうしたイメージが重視されるようになりました。言いかえれば、同じイメージを一定の間隔で繰り返し登場させたり、様々なイメージを次々に表現したりすることで、視覚的・空間的なリズムを生みだそうとしたのです。

イメージの反復の例：萩原朔太郎『天景』

例えば、日本近代詩の先駆者として名高い**萩原朔太郎**[*39]は、イメージを反復させることによって様々な美しいリズムを生みだしました。例えば、次の**『天景』**という詩を読んでみましょう。

しづかにきしれ四輪馬車、
ほのかに海はあかるみて、
麦は遠きにながれたり、
しづかにきしれ四輪馬車。
光る魚鳥の天景を、
また窓青き建築を、
しづかにきしれ四輪馬車。

ぱっと見て分かるのは、この詩では「しづかにきしれ四輪馬車」というフレーズが1行目・3行目・7行目で反復されていることです。文学者の小泉尚子は、このフレーズが一定の間隔で繰り返されることにより、ロンド（輪舞曲）のようなリズムが生まれていると指摘しました。[*40] たしかに、この詩の中で「しづかにきしれ四輪馬車」という一節は、いわば音楽

＊37　野村喜和夫　詩人（1951〜）。詩集『特性のない陽のもとに』で歴程新鋭賞、『風の配分』で高見順賞、『ニューインスピレーション』で現代詩花椿賞を受賞するなど、現代を代表する詩人の一人。

＊38　野村喜和夫『現代詩作マニュアル　―詩の森に踏み込むために―』思潮社、2005年、151ページ。

＊39　萩原朔太郎　詩人（1886〜1942）。音楽性に富む口語表現でうたった『月に吠える』で詩壇の注目を集める。その後も詩的主体の真実としての感情を重んじる口語自由詩を制作し続けた。

＊40　小泉尚子「韻律とイメージで読み味わう詩の学習指導法研究」『全国大学国語教育学会国語科教育研究：大会研究発表要旨集（103）』全国大学国語教育学会国語科教育研究、2002年、178ページ。

のサビのように、一定のリズムを生んでいることが分かります。

さらに重要なのは、このようなリズムが詩のイメージと実に見事にマッチしているということです。実際、「しづかにきしれ四輪馬車」というフレーズの繰り返しは、「馬車の車輪がくるくると回っていく」イメージをリズミカルに表現しています。また、「海」や「魚鳥」といった海のイメージと、「麦」や「建築」という陸のイメージが一定の間隔を置いて登場することで、馬車が街の通りをテンポよく進んでいく様子を、より深く読者に印象づけることにも成功しているのです。[*41]

イメージによってリズムを作ろうとした萩原朔太郎

このように、萩原朔太郎はイメージによって詩のリズムを作ろうとした画期的な詩人でした（この詩には他にも押韻のパターンが見られますが、ここでは割愛します）。朔太郎の試みは、それまでの伝統的な日本のリズムに革命をもたらしたのです。

今日、一定のテンポでイメージを登場させていくこうした方法は、詩にリズムを生みだす重要な方法となっています。朔太郎はこの他にもイメージを巧みに用いることで様々なリズムを生み出しました。一例として、**『見知らぬ犬』**を見てみましょう。[*42]〔以下、作品の傍線・傍点・太字はすべて引用者〕

イメージの反復の例：萩原朔太郎『見知らぬ犬』

「犬」のイメージ

この見もしらぬ犬が私のあとをついてくる、
みすぼらしい、後足でびっこをひいている不具（かたわ）の犬のかげだ。

*41　小泉尚子、同書、179ページ。

ああ、わたしはどこへ行くのか知らない、
わたしのゆく道路の方角では、
長屋の家根がべらべらと風にふかれてゐる、
道ばたの陰氣(いんき)な空地では、
ひからびた草の葉つぱがしなしなとほそくうごいて居る。

ああ、わたしはどこへ行くのか知らない、
おほきな、いきもののやうな月が、ぼんやりと行手に浮んでゐる、
さうして背後(うしろ)のさびしい往来では、
犬のほそながい尻尾の先が地べたの上をひきずつて居る。

ああ、どこまでも、どこまでも、

「ああ」という嘆きのイメージ

「犬」+「ああ」

「ひきずって」いるイメージ

この見もしらぬ犬が私のあとをついてくる、
きたならしい地べたを這(は)ひまわつて、
わたしの背後(うしろ)で後足をひきずってゐる病氣の犬だ、
とほく、ながく、かなしげにおびえながら、
さびしい空の月に向つて遠白く吠えるふしあはせの犬のかげだ。

「犬」＋「ああ」＋「ひきずって」

ここでは、「犬」というイメージが最初に登場し、続いて「ああ」という嘆きのイメージが現れ、最後に「ひきずっている」という哀れな犬の姿のイメージが登場しています。しかしながら、これらのイメージは一度だけ詩に登場しているわけではありません。小泉が指摘しているように、こうした一つひとつのイメージは一度描かれた後で、あたかも追いかけ合うように再度現れていることが分かります。いわば音楽のモチーフのように、それぞれのイメージは距離を置いて互いに響き合っているのです。

このように、イメージを次々と重なり合うように描いたことで、「足を「ひきずって」いる哀れな姿の「犬」がどこまでもまとわりつくのに対し、「ああ、」という「わたし」の嘆きは途絶えることがなく、犬に対しての思いは次第に膨らんでゆく」[*42]という語り手の感情が効果的に表現されていることが分かります。小泉はこのようなリズムの形式を「**フーガ（遁走曲）**」と呼び、朔太郎が持つ独特なリズムの一つであると考えました。

行分けのリズム

イメージのリズムを形作る「行分け」

「行」そのものを「イメージ的韻律単位」として活用する

イメージのリズムを形作るために、詩人が注目したもう一つの要素は「**行分け**」です。例えば、小説と詩を比べたとき、私たちは詩が厳密に一行一行を細かく区切っていることに気づくかもしれません。実のところ、こうした行分けは詩のリズムと密接な関わりがあります。例えば、私たちは詩を読む際、自然と行が終わったところで一息入れます。いわば、一行ごとに呼吸を置くことで、無意識のうちにリズムを作っていると言ってもいいでしょう。前にも述べたように、日本語は「呼吸」をベースにしたリズムに基づいています。そのため、行分けの休止は、私たちにとって一つのテンポとして感じられるのです。

多くの詩人たちは、こうした行分けによるリズムの効果に注目し、独自の詩的リズムを構築しようとしました。いわば、「行」そのものを「**イメージ的韻律単位**」として活用したのです。[*43]

＊42　小泉尚子、同書、100ページ。

＊43　吉崎清富「ことばのリズムと詩歌のリズム研究」『鹿児島大学教育学部研究紀要 人文・社会科学編 = Bulletin of the Faculty of Education, Kagoshima University. Cultural and social science (56)』鹿児島大学、2005年、79ページ。

その代表的な例は、「**対句法**」と呼ばれる原理です。対句法とは、二つの行をバランスよく並べることで、両者の違いを強調したり、テンポの良いリズムを生みだしたりする方法のことです。そのためには、一行ごとに異なったイメージを描くことで、巧みにそれぞれのイメージを対比させせなければなりません。一例として、**伊東静雄**[*44]の詩**『有明海の思ひ出』**の書き出しを読んでみましょう。

対句法の例：伊東静雄『有明海の思ひ出』

馬車は遠く光のなかを駆け去り
私はひとり岸辺に残る

一見すると、この一節は長さが不ぞろいなので、形の上ではリズムがあまり感じられないかもしれません。しかしながら、一つひとつのイメージに注目してみると、1行目と2行目のイメージは実に対照的であり、こうした「**左右対称性（シンメトリー）**」がリズムにまとまりを与えていることが分かります。実際、文学者の早川雅之はこの2行に関して、「光の中に駆け去っていく馬車と有明海の岸辺にひとり残る私との対比」[*45]が鮮やかに表現されていると指摘しました。馬車が猛スピードで「光」という時の流れを駆けぬけているのに対し、語り手である私は、あえてそうした流れに逆らい、「ひとり岸辺に」留まろうとしているのです。

このように、ここではイメージの切れ目によって行が分けられており、二つの行が密接に対応し合っていることが分かります。イメージの対応がバランスのとれたリズムを生みだす役割を果たしているのです。

もちろん、形の上でも同じような詩句が並んでいる場合、対句法のリズムはより一層はっきりと見えるようになります。例えば、**宮沢賢治**[*46]の詩**『岩手山』**を見てみましょう。

対句法の例：宮沢賢治『岩手山』

そらの散乱（さんらん）反射のなかに
古ぼけて黒くえぐるもの
ひかりの微塵（みじん）系列の底に
きたなくしろく澱（よど）むもの

この詩では、最初の2行と最後の2行が次のように見事な対句を成しています。

＊44　伊東静雄　詩人（1906～53）。『わがひとに与ふる哀歌』で文芸汎論詩集賞、『夏花』で第5回北村透谷文学賞を受賞。大阪で終生中学、高校の教師をつとめた。

＊45　早川雅之「伊東静雄「有明海の思ひ出」」『國文學解釈と教材の研究（24）』學燈社、1979年、104ページ。

＊46　宮沢賢治　詩人、童話作家（1896～1933）。、農学校教師として農民生活の向上に尽くすかたわら、東北地方の自然と生活を題材に、詩や童話を書いた。詩集に『春と修羅』がある。

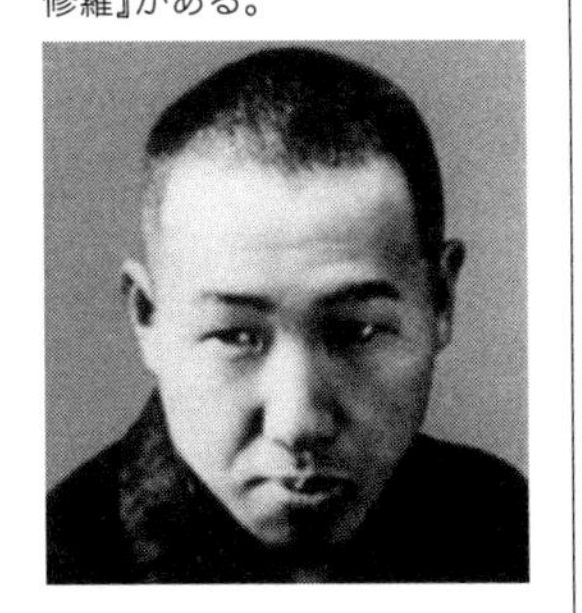

「そらの散乱」⇅「ひかりの微塵」
「反射のなかに」⇅「系列の底に」
「古ぼけて黒く」⇅「きたなくしろく」
「えぐるもの」⇅「澱むもの」

このように『岩手山』では、言葉が名詞、形容詞、動詞、さらには助詞のレベルに至るまで完璧に対応しています。また、一行が毎回11文字という一定の文字数で描かれているため、視覚的にも素晴らしいバランスが取れていることが分かるかもしれません。実際、文学者の黒澤勉も、この詩に見られる安定したリズムが「岩手山という均衡のとれた単独峰にふさわしい」[*47]と指摘しています。

ここまで、行分けが一つひとつのイメージを区切ることで、一定のテンポを生みだす機能を果たしていることを見てきました。他にも、行分けに工夫を加えることで、詩のリズムを速めることもできます。実際、行分けとリズムの関係性について、詩人の**鈴木志郎康**(しろうやす)[*48]は次のように指摘しています。

一行のことばの数が少なく、意味の通りがよければ、それだけ速く読めるわけで、スピードが出てくるのだ。つまり、スピードを出したいと思えば、一行一行を速く読めるように工夫すればよいということにもなる。[*49]

連用形での行分けでスピード感を出す例：黒田三郎『海』

例えば、**黒田三郎**[*50]の詩**『海』**を読んでみましょう。

駆け出し
叫び
笑い
手をふりまわし
砂をけり

飼いならされた
小さな心を
海は

＊47 黒澤勉「宮澤賢治『春と修羅』を読む：詩「岩手山」について」『医事学研究(20)』岩手医科大学、2005年、86ページ。

＊48 鈴木志郎康 詩人、映像作家（1935～）。NHKのカメラマンとして勤務するかたわら、猥雑な言語やナンセンス言葉を多用した詩を発表。『缶製同棲又は陥穽への逃走』でH氏賞、『胡桃ポインタ』で高見順賞、『声の生地』で萩原朔太郎賞を受賞している。

＊49 鈴木志郎康『現代詩の理解』三省堂、1988年、107～108ページ。

＊50 黒田三郎 詩人(1919～80)。鮎川信夫、田村隆一らと詩誌『荒地』を創刊。庶民的現実に取材しながら、現代の危機的状況を平明に表現した。詩集に『ひとりの女に』などがある。

行分けがゆっくりしたリズムをもたらす例：安東次男『薄明について』

荒々しい自然へ
かえしてくれる

前半の部分に注目してみると、「駆け出し」や「叫び」といった、動詞の連用形が繰り返されていることが分かります。本来であれば、「駆け出し、叫んだ」のように文を終わらせるべきところを、何度も改行して動詞を継続させているのです。文学者の乙骨明夫（おっこつ）は、このように連用形で行分けすることにより、「海の動きの変化、流動のスピード感と迫力」[*51]を的確に表現していると論じました。たしかに、動詞が連続して登場することにより、私たちは止まることのない、海のスピーディーな流れを感じとることができます。乙骨が述べるように、これら5つの連用形が一つずつ行分けされて使われることにより、海という「生命の根源的な素朴さ」[*52]がリズミカルに伝わってくるのです。

逆に、行分けがゆっくりとしたリズムをもたらすケースもあります。一例として、**安東次男**[*53]の詩**『薄明について』**の一節を見てみましょう。

アポカリプスは
ぬれて
千の世界は

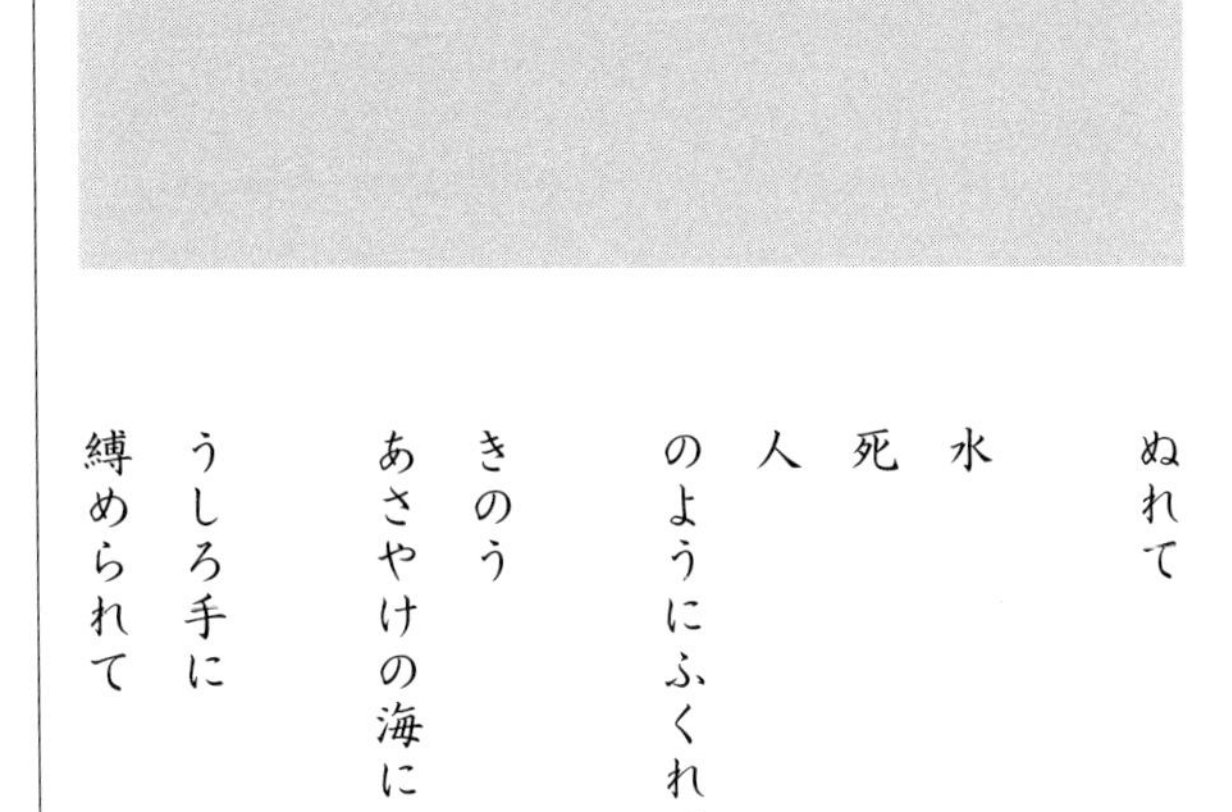

ぬれて

水
死
人
のようにふくれて

きのう
あさやけの海に

うしろ手に
縛められて

＊51 乙骨明夫「黒田三郎「海」」『國文學 解釈と教材の研究（24）』學燈社、1979年、119ページ。

＊52 乙骨明夫、同書、同ページ。

＊53 安東次男 俳人、詩人、評論家、翻訳家（1919～2002）。思想的にも技法的にも前衛的な詩風により、戦後詩人としての地位を確立した。また、活発な評論活動、フランス文学の翻訳、紹介などを通じ、戦後詩の展開に重大な役割を果たした。詩集に『六月のみどりの夜わ』などがある。

投げこまれたひとたちよ

ここでは、行分けが頻繁に行われることで、一行一行の意味を把握することが難しくなった結果、とてもゆっくりとしたリズムが生まれていることが分かります。実のところ、詩人の渡邊十絲子もこの詩について次のように指摘しています。

この詩をはじめて見たときに感じたのは、この詩はきわめて「遅い」詩だということだった。一行にほとんど一文字か二文字しかないようなところでも、目がスピードをあげて左のほうへ進むことができない。目は、詩句によってブレーキをかけられているのである。*54

例えば、「水死人のようにふくれて」という文章は、一行で書くのが一般的です。しかしながら、詩人はこれをあえて「水／死／人」と、一文字一文字をゆっくり区切りながら書いているのです。このように、わざとリズムを遅くすることにより、私たちは一つひとつの言葉から、まったく新しいイメージを見出すことができるようになります。実際、こうしたリズムの効果について、渡邊は次のように解説しています。

「水死人」という、ひとつの具体的・映像的イメージをもったことばが、〈水／死／人〉

と三行にわかたれるとき、そこには「水」と「死」と「人」という三つのべつべつの概念があらわれ、たがいに部分的に重なりあっては色あいをかえる。この詩が全体としてきらきらする乱反射を感じさせ、万華鏡をのぞいているかのような印象をあたえるのは、そのせいだ。[*55]

彼女が論じているように、「水死人」という言葉を一つひとつの文字で分けることで、まったく新しいイメージが詩の中に生まれ、それらが重層的に積み重ねられていることが分かります。行分けの手法はこのように、詩に様々なリズムをもたらすうえで、とりわけ重要な技法であると言えるのです。

「現代詩のレトリックは日本語の非音楽性の発見という特殊な基盤に立って、その内容である造形性を韻律にまで高めるために極めて振幅の大きい刻みこみを行う」と**丸山薫**[*56]が指摘したように、日本語は音数でしかリズムを刻めない、きわめて音楽性に乏しい言語です。しか

＊54　渡邊十絲子、前掲書、114ページ。

＊55　渡邊十絲子、同書、113ページ。

＊56　丸山薫　詩人（1899〜1974）。『帆・ランプ・鴎』により詩壇に登場。フランス印象派風の鮮明なイメージをもつ知的、清純な作風は、昭和時代における抒情詩の新風として迎えられた。

しながら、逆にそうした困難が生じるからこそ、独創的なリズムが生まれる余地が大いにあると言えるかもしれません。新鋭詩人たちによって、今後もユニークなリズムがたくさん作られることは間違いないでしょう。

第3章
詩のイメージ

イメージとは何か

音楽性とならんで、詩のなかでとても重要な位置を占めているのは「**イメージ**」です。言葉をながめるとき、私たちはたんに音やリズムだけを読みとっているわけではありません。例えば、

ドラえもんはどら焼きを食べている。

という文を読んだとき、私たちの心には「ドラえもん」の姿や、おいしそうな「どら焼き」の映像が浮かんでくることでしょう。このように、言葉によって心のなかに浮かんでくるさまざまなモノの姿を「イメージ」と呼びます。

実のところ、私たちは自分の思いを表現する際、イメージを日常的に使っていると言えます。例えば、失恋したときの悲しみは、次のように表現できるかもしれません。

僕の心は粉々に砕け、僕は子供のように泣いた。

この文章からは、「ガラスが割れて木っ端みじんになったイメージ」や、「子供が泣いているイメージ」を思いうかべることができます。このようなイメージを用いることで、私たち

は自分の失恋の痛みを相手に伝えることができるのです。

こうしたメカニズムは、詩にも同じく当てはまります。詩人は、自分自身が経験した感動や興奮を、他の人にも味わってほしいと考えています。そのため、詩にさまざまなイメージを込めることで、読者が自分と同じような感動を感じてくれるよう工夫しているのです。


「普通のイメージ」と「詩的イメージ」との差異

イメージを作るテクニック

もしそうであれば、私たちが普段用いるイメージと、詩人が用いるイメージとのあいだには、どのような違いがあるのでしょうか? 言いかえれば、「普通のイメージ」と「詩的イメージ」とのあいだには、どのような差異が存在しているのでしょうか?

この点を知るために、まずは詩においてイメージがどのように生みだされているのかについて考えてみましょう。イメージが作られる方法について、詩人の**北川透**[*1]は次のように述べ

***1　北川透**　詩人、評論家(1935～)。『眼の韻律』『闇のアラベスク』などの詩作と並行して、『詩と思想の自立』『中原中也の世界』など多くの鋭い詩論を発表した。

ています。

詩的なイメージは、ことばの暴力的な連想や、意味規範に違犯することばとことばの結合によって出現する。イメージをつくるレトリックが比喩法であり、なかでも詩的隠喩(メタファー)は、未知のイメージを出現させる方法である。[*2]〔傍点は引用者〕

北川がこう指摘しているように、イメージを作る方法には大きく分けて二つあります。

一つ目は、「ことばとことばの結合」、言いかえれば「語と語の組み合わせ」を生みだすことです。実際、ある言葉に別の言葉を組み合わせると、そこに新しいイメージが生まれることがあります。例えば、「しわくちゃな」という語と「顔」という語を組み合わせて、「しわくちゃな顔」というフレーズを作ると、私たちは「しわだらけで老けた顔のイメージ」を心に描くことができます。一方、「ほてった」という語と「顔」という語を組み合わせた「ほてった顔」の場合、「熱で赤くなった顔のイメージ」が思い浮かぶことでしょう。このように、ふたつ以上の単語を組み合わせてできる言葉のフレーズは「**コロケーション**」と呼ばれ、さまざまなイメージを生みだすうえで重要な手法の一つとなっています。

イメージを生み出す二つの方法——コロケーションと比喩法

イメージを作る二番目の方法は、「**比喩法**（**比喩表現**）」を使うことです。比喩とは、何かを分かりやすく表現するときに、それを似ているものに置きかえることを指します。例えば、「山のような宿題の量」という比喩は、「宿題の量」というモノを「山」に置きかえて表現することで、「大きな山のイメージ」を生みだしています。一方、「のび太のメンタルは豆腐だ」という比喩は、「メンタル」を「豆腐」にたとえることで、「柔らかくてふにゃけたイメージ」を読者の心に印象付けていると言えるでしょう。

もちろん、コロケーションも比喩表現も、私たちが普段から使っている言葉のテクニックです。それでは、詩人が用いるコロケーションや比喩表現の技法は、私たち一般人のそれと何か異なる点があるのでしょうか？　言いかえれば、詩人が用いるコロケーションや比喩表現には、何か特別な秘密があるのでしょうか？

コロケーションの機能

まずはじめに、コロケーションについて考えてみましょう。私たちが日常的に使い古しているコロケーションには、どのような特徴があるでしょうか？　実は、私たちが普段使って

＊2　北川透『詩的レトリック入門』思潮社、1993年、151ページ。

いるコロケーションは、特定の語と語の結びつきがあらかじめ決められていることがほとんどです。例えば、「招かれざる」という言葉の後に続く言葉は何だろうと考えたとき、おそらくほとんどの人は「客」と答えることでしょう。また、「お似合いの」という言葉を聞いて連想するのは、「服」や「ドレス」という言葉かもしれません。

このように、一般的な言葉と言葉の組み合わせというのは、たいていの場合ある程度予測できるものとなっており、私たちが自分勝手に変えられるものではありません。いわば、言葉の組み合わせはそのほとんどが固定化されてしまっているのです。

こうした語と語の習慣的な結びつきは、日常生活のなかで徐々に培われていったものです。どの言葉を組み合わせるべきかについて、私たちはいちいち頭を悩ませる必要がないので、一般的なコロケーションはとても便利なツールであると言えます。

しかしながら、自分だけが感じている特別な感情や、たった一回だけの神秘的な出来事を表現しようと思ったとき、このような使い古されたコロケーションではうまく自分の思いを伝えられないかもしれません。例えば、ある人に対してあなたが感じた「愛」は、ただあなただけが感じている、かけがえのない感情です。そうした特別な感情は、「本当の愛」や「真実の愛」などといった、ありきたりな言葉の組み合わせではうまく表現できないことでしょう。また、私たちをとりまく環境はどうでしょうか？　たとえ毎日同じ道を歩いていても、景色は天候や季節によって絶えずその姿を変えていきます。まったく同じ風景、同じ景色というのは、二度とありません。ときには、それまで見たこともないような神秘的な光

習慣的なコロケーションは便利だが、深い感動や真実をうまく表現できない

景を目撃することもあるでしょう。そのようなとき、「美しい景色」や「きれいな光景」といった、いわゆる型にはまったコロケーションでは、自分の体験を決して正確に伝えることはできません。この点については、言語学者の池上嘉彦も次のように述べています。

日常のことばでは、語形と語義の間に、慣習によって定められた結びつきが出来上がってしまっている。日常のことばを使っている限り、われわれはすでに多く惰性化した日常のことばの決まりの上に成り立つ日常の世界の中で、これまた惰性化した営みを繰り返すだけである。[*3]

池上が指摘しているように、私たちは習慣的な語の結びつきを使っているかぎり、日常的な世界から脱出することはできません。深い感動や真実を表現するためには、こうした使い慣れた結びつきのパターンを破壊し、新しい結びつきを生みだす必要があるのです。

＊3　池上嘉彦、前掲書、3～4ページ。

コロケーションによる詩的イメージの創造

新しい結びつきの創造――まさにこれこそ詩人が使うコロケーションの特徴です。詩人は、ある語を「普段パートナーにしている語から別れさせ、一緒になるとは想像もされなかった語と予期せぬ新しいパートナー関係」を作り出そうとします。[*4] 惰性的な語の組み合わせに揺さぶりをかけ、新しい言葉の融合を生みだすことで、そこに新たな意味を発見しようと試みるのです。アメリカの詩人**C・D・ルイス**[*5]も、こうした新しいコロケーションの効果について次のように指摘しています。

また、いっぱんに通用していた単語を以前とはちがったあたらしい文脈のなかに取りいれて、その単語がかつて顔を合わせたことのないべつの平凡な単語たちに紹介することもできます。それはちょうど親切な一家の主人がお客の席でたがいに見知らぬお客さんをおたがいに紹介して、おたがいに仲よくさせるようなものです。つまり詩はいろんな単語をあたらしく交際させることによってそれらの単語の価値というものをゆたかにすることができます。[*6]

ルイスが述べているように、詩人は言葉の組み合わせを作り変えることによって、今まで存在しなかった、まったく新しいイメージを読者の心のなかに誕生させることができます。

詩人は言葉の組み合わせを作り変えることによって、まったく新しいイメージを誕生させる

例えば、前に紹介した宮沢賢治の詩『岩手山』をもう一度見てみましょう。

そらの散乱反射のなかに
古ぼけて黒くえぐるもの
ひかりの微塵系列（みじんけいれつ）の底に
きたなくしろく澱（よど）むもの

あえて異様な語を組み合わせるの例：宮沢賢治『岩手山』

ここで注意したいのは、賢治が岩手山をどのような言葉で描写したのかという点です。一般的に、私たちは山という言葉を「きれい」や「雄大な」といった、ポジティブな言葉と組み合わせる傾向があります。しかしながら、ここで賢治はそのような肯定的な言葉をまったく使っていません。むしろ、「古ぼけて黒くえぐる」「きたなくしろく澱む」といった、否定的な言葉を付け加えることにより、不気味な山のイメージを読者の心にかきたてているので

＊4 ピーター・バリー『文学理論講義 ―新しいスタンダード―』高橋和久監訳、ミネルヴァ書房、2014年、259ページ。

＊5 C・D・ルイス イギリスの詩人、小説家（1904〜72）。詩人として最高の名誉職である桂冠詩人の地位を授かる。また、数多くの推理小説も執筆した。

＊6 C・D・ルイス『詩をよむ若き人々のために』深瀬基寛訳、筑摩書房、1955年、20〜21ページ。

す。なぜ、賢治はあえてこうした組み合わせを選んだのでしょうか？　彼は岩手山をいったいどのように見ていたのでしょうか？

　これに関して、文学者の黒澤勉は、賢治が岩手山のなかにひそむ破壊的な自然のエネルギーを見抜いていたと指摘し、次のように述べています。

> 「黒く」「きたなく」などという言葉には、修羅(しゅら)的なもの——修羅のエネルギーとでもいうべきものがひそんでいるように思います。私達が普通、美しいとか、優美だとかみる岩手山は、実は火山であり、いつ地中のマグマが噴出するかわかりません。そうした火山活動について賢治は精(くわ)しく知っていましたから、山を単に美しいもの、安定してゆるがない、不動のものとは決して見なかった。それどころか、山に恐ろしい「魔性を秘めたデーモン」を感じたのだろうと思います。*7

　賢治は持ち前のするどい感受性から、普段は美しい岩手山に秘められている、魔性的なエネルギーを感じとっていました。しかしながら、私たちにとって、そうした岩手山の怖さは見たり登ったりしただけでは感じとることができません。賢治は岩手山の本質である不気味さ、恐ろしさを読者にイメージさせるために、あえて通常ではあり得ない言葉の組み合わせを試みたのです。

あえて異様な語を組み合わせる例：萩原朔太郎『蛙の死』

　別の例として、萩原朔太郎の**『蛙の死』**を見てみましょう。

＊7　黒澤勉、前掲書、92ページ。

蛙が殺された、
子供がまるくなって手をあげた、
みんないっしょに、
かわゆらしい、
血だらけの手をあげた、
月が出た、
丘の上に人が立っている。
帽子の下に顔がある。

この詩からは、どことなく不気味な印象を受けるのではないでしょうか。文学者の佐藤洋一は、私たちがこの詩から不安や緊張を感じる理由として、この詩における「**イメージのズ**

レ」を挙げています。[*8] 例えば、「みんないっしょに、／かわゆらしい、／血だらけの手をあげた、」というフレーズについて考えてみてください。最初の「かわゆらしい」という形容詞は、「子供のやわらかくて小さな手」や「愛らしいしぐさ」などを読者にイメージさせることでしょう。

ところが、この「かわゆらしい」というポジティブな形容詞は、この詩においては「血だらけの」という不気味な表現と結びつけられていることが分かります。「血だらけの」という言葉からは、「殺人」や「狂気」といった、グロテスクでおぞましいイメージを連想するかもしれません。つまり、ここで読者が感じるミステリアスな雰囲気は、「かわゆらしい」と「血だらけの」という、本来ならば決して出会うことがない言葉どうしが組み合わされて生まれる「イメージのズレ」によって引き起こされているのです。

それでは、こうした新しい言葉の結びつきによって、作者は何を伝えようとしていたのでしょうか？　佐藤は、このようなイメージのズレが「子供の残酷さと無垢、清純と冷酷の瞬間的なイメージ」[*9]を読者の心に植えつける効果があると指摘しました。例えば、私たちは「子供」と聞くと、「可愛らしい」「純粋」「心がきれい」といった肯定的なイメージが思いうかぶかもしれません。

しかしながら、子供は時に、意外な一面をかいま見せることがあります。虫を平気で殺したり、他の子供をいじめたりするなど、残忍な性質も持ちあわせていることもあるのではないでしょうか。私たちはこの作品を読むことで、子供が決して純粋無垢ではなく、その内面

モンタージュの技法

には人間の原罪とでも言うべき、「悪の本性」を根ざしていることを意識します。こうした、まったく新しい子供のイメージが、読者に不気味な印象を与えていると言えるかもしれません。作者である萩原朔太郎は、このような異様な語の組み合わせによって、子供の隠れた本質を明るみに出そうとしたのです。

実のところ、二つの異質なものを組み合わせることで、新しいイメージを生みだす仕組みは、映画の世界でもよく使われている、「**モンタージュ**」という手法とよく似ています。モンタージュとは、撮影した複数のカットを組み合わせてつなぎ、一つの作品にまとめる技法のことを指します。

例えば、**チャールズ・チャップリン**[*10]の映画『モダン・タイムス』には、地下鉄の出口から出てくるたくさんの労働者のシーンと、羊の群れが移動していくシーンとがつなぎ合わされています。このように2つの映像をつないで見せることの効果について、文筆家の山本貴光は次のように述べました。

＊8　佐藤洋一「詩教材におけるイメージの特質と構造：萩原朔太郎の詩を例に」『国語科教育（36）』全国大学国語教育学会、1989年、87ページ。

＊9　佐藤洋一、同書、88ページ。

＊10　チャールズ・チャップリン　イギリス生まれの喜劇俳優、監督、制作者（1889～1977）。数多くの短編喜劇映画に出演、またみずから監督し、独特の扮装で一躍世界の人気者となった。代表作に『移民』『黄金狂時代』『モダン・タイムス』『独裁者』など。

労働者の映像と羊の映像は互いに無関係のものだ。しかしこの二つがつなげられることで、例えば、労働者には羊飼いに従う羊の群れのイメージが重なり、羊には労働者のように搾取される存在という意味が見えてくるかもしれない。このモンタージュ自体にさまざまな解釈を施せるところだが、ここで肝要なことは、異なるもの同士がつながった結果、そのいずれでもないなにかが生じるということだ。[*11]

山本が指摘しているように、二つの異なる映像が重ねられることで、観客はそこに「個人の尊厳の喪失」や「資本主義の搾取」といった、新しい意味を見いだすことができるようになります。

こうしたメカニズムは、詩というジャンルにおいても同じであると言えるでしょう。二つの異質な言葉が重ね合わせられることで、そこにまったく新しいイメージが浮かびあがることになるのです。このように、詩における言葉の結びつきを分析することは、「定型的な表現と文芸作品などに見られる創造的な表現との相違をとらえる」[*12]うえで、きわめて有効な手法であると言えます。

比喩表現

比喩表現の二つの方法
——直喩と隠喩

詩的イメージを生みだすもう一つの方法は、「比喩表現」です。比喩表現の代表的な例としては、「**直喩**」と「**隠喩**」が挙げられます。直喩とは、「彼は悪魔のようだ」というフレーズのように、「〜のようだ」「まるで〜」「〜みたいだ」といった類似の目印を使って表現するのが特徴です。一方、隠喩の場合、こうした類似の目印を使わず、「彼は悪魔だ」というように、ストレートに物事を表現しようとします。

私たちは比喩的なやり方で世界を理解している

実は、こうした比喩表現というのは、私たちが物事の本質を理解するうえで欠かせない、重要な「認識の手段」であると言えます。実際、文学者の川本皓嗣も、比喩が私たちの生活にいかに深く関わっているのかについて、次のように指摘しています。

われわれは、口を開けばいつでも比喩を用いずにはいられない。それは、われわれが本

*11　山本貴光『文体の科学』新潮社、2014年、120〜122ページ。

*12　小宮千鶴子「連語の研究　―表現教育への広がり―」『早稲田日本語研究(11)』早稲田大学日本語学会、2003年、48ページ。

来、比喩的なやり方で世界を理解しているからである。つまりわれわれは、未知の、あるいは容易には捉えがたい物や事を、すでによく知っている類似の物や事に重ね合わせ、ある点ではそれとほぼ同様の事物として理解するのである。*13

「われわれが比喩的なやり方で世界を理解している」とは、どういう意味でしょうか？　例えば、誰かに自分の気持ちを伝えようとしている場面を想像してみてください。気分が良いとき、私たちは「気分が上がる」「気分上々だ」といったフレーズをよく使うはずです。一方、あまり気持ちがすぐれないときは、「気分が下がる」「気分が落ち込んでいる」といった言葉を使うかもしれません。

比喩とは世界のあらゆるものを理解するための「フレーム」

ここで、私たちがすでに比喩表現を使っていることに注目しましょう。実際、私たちは「気分」という目に見えない概念を、「上」や「下」といった、目に見える空間的な概念でたとえているのです。このように、私たちが日常的に使っている比喩表現の数は多すぎて、とうてい数えきれません。「目玉焼き」という言葉は、焼いた「卵」を人間の「目」にたとえていますし、逆に「彼は俳優の卵だ」という言葉は、「まだ一人前になっていない人」を生まれたての「卵」でたとえていることが分かります。いわば、私たちは常に比喩を通してこの世界を見ていると言ってもいいでしょう。こうした意味で、比喩とは、世界のあらゆるものを理解するための「**フレーム**」にほかならないのです。

比喩のメカニズム

それでは、私たちが普段使っている一般的な比喩表現と、詩の中で用いられる比喩表現（＝詩的比喩）との間には、どのような違いがあるのでしょうか？　この点について知るために、まずは一般的な比喩がどのようなしくみで成り立っているのかについて考えてみましょう。

言葉の意味は、大きく分けて「**表示義（デノテーション）**」と「**共示義（コノテーション）**」という、二つのレベルで構成されています。「表示義」とは、「言葉そのものの文字通りの意味」のことを指します。例えば、「豆腐」の表示義とは「豆腐そのものの意味」のことなので、「大豆の加工食品」というのがその答えであると言えるでしょう。一方、「共示義」とは「その言葉から連想されるイメージ」です。例えば、「豆腐」という言葉を聞いて連想されるイメージは、「もろい」「白い」「うまい」といった言葉かもしれません。このように、「豆腐」という言葉から呼び起こされるさまざまなニュアンスが共示義です。

言葉の文字通りの意味＝表示義（デノテーション）

その言葉から連想されるイメージ＝共示義（コノテーション）

＊13　川本皓嗣「二重像の詩学　―比喩と対句と掛詞―」『大手前大学論集＝Otemae Journal (8)』大手前大学、2007年、4ページ。

私たちが普段使う一般的な比喩表現では、共示義に基づいてあるモノを別のモノにたとえています。例えば、前に挙げた「のび太のメンタルは豆腐だ」という隠喩は、「もろい」という共示義が、「のび太」と「豆腐」の両方に備わっているので、「のび太のメンタルはもろい」という意味を相手に伝えることができるのです（下図）。

こうした例から分かるように、私たちは比喩を用いる際、まずは一方の言葉（豆腐）に存在する特徴（もろい）を考え、それを使ってもう一方の言葉（のび太）を説明しようとします。その結果、相手は「のび太のメンタルは豆腐だ」という比喩の意味をすぐに理解することができるのです。

詩的比喩のメカニズム

ここまで見てきたように、いわゆる一般的な比喩表現というのは、二つの言葉の間に元々あった類似点に

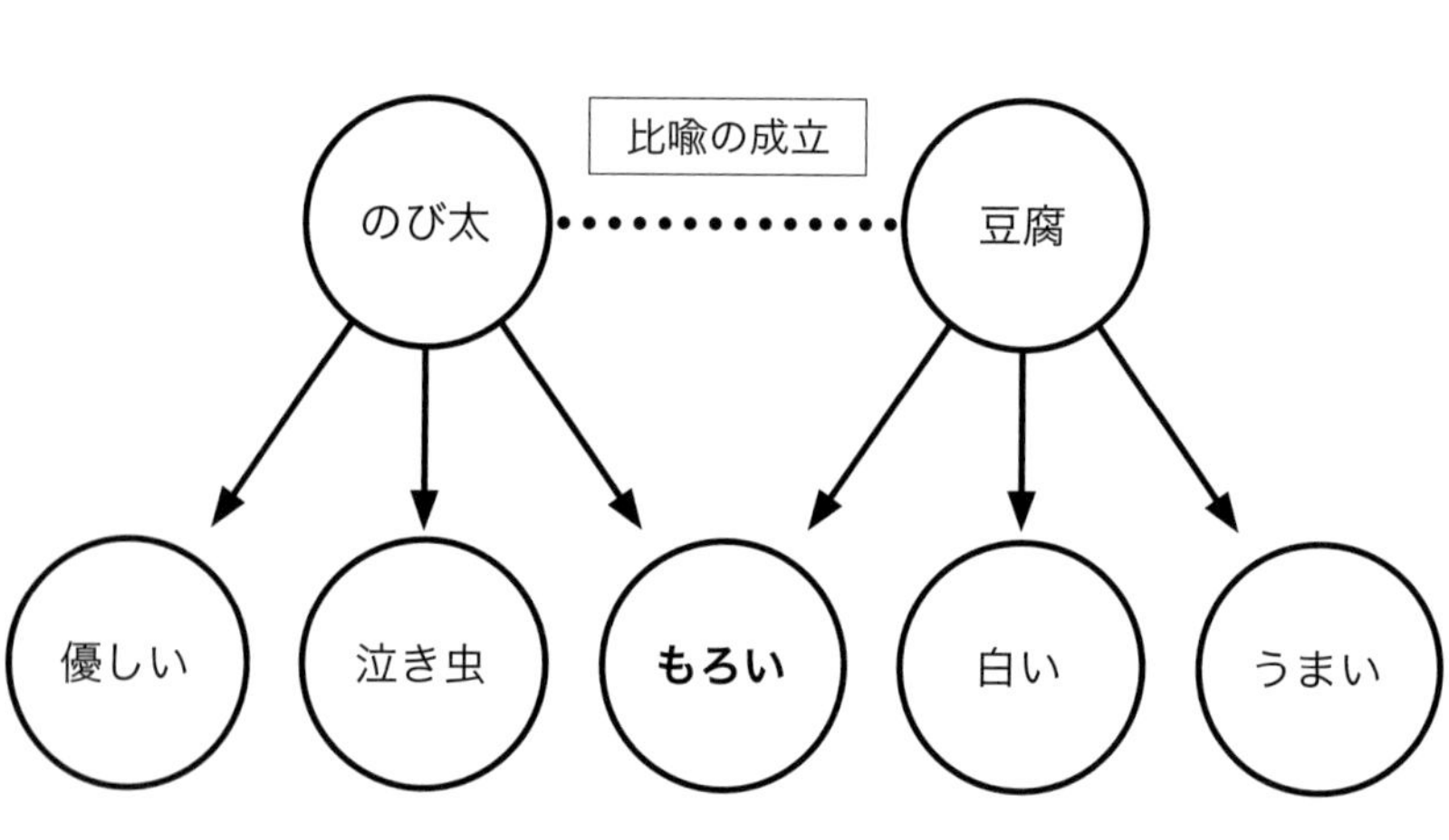

注目することにあると言えます。それでは、詩的比喩の方はどのようなしくみで成り立っているのでしょうか？

詩的比喩の特徴とは、一般的な比喩表現とは逆に、二つの言葉に今まで存在しなかった類似性を比喩によって生みだすという点にあります。数学でたとえるなら、一般的な比喩は1＋1が2となるのに対し、詩的比喩の方は、1＋1が3にも4にもなったりするという、きわめてクリエイティブな比喩表現であると言えるのです。

このような詩的比喩の一例として、18世紀のスコットランドで活躍した詩人**ロバート・バーンズ**[*14]の有名な詩**『赤い赤いバラ』**の一節を見てみましょう。

ああ、ぼくの恋人は赤い赤いバラのよう
それは6月に花咲く
ああ、ぼくの恋人はメロディーのよう

詩的比喩は二つの言葉に今まで存在しなかった新しい類似性を生みだす

詩的比喩の例：ロバート・バーンズ『赤い赤いバラ』

＊14　ロバート・バーンズ
スコットランドの詩人（1759〜96）。貧農の家に生れたが、『詩集　―主としてスコットランド方言による―』で抒情と風刺の詩人として名声を確立。粗野で土の香り豊かな方言を駆使する一方で、ヒロイック・カプレットやスペンサー連のような高雅な詩型をもよくした。

ここでバーンズは、自分の「恋人」を「赤いバラ」にたとえています。一般的な比喩のメカニズムで考えれば、このフレーズが伝えようとしているのは、両者に共通する「美しさ」であると言えるでしょう。つまり、バラの美しさを恋人のそれにたとえているというわけです。

しかしながら、私たちがこの比喩から得られる内容は、それだけではありません。実際、言語学者の内海彰によれば、恋人が赤いバラにたとえられているとき、私たちは恋人の「美しさ」だけではなく、「冷淡さ」「そっけなさ」「冷酷さ」などといった他のイメージも無意識のうちに連想します。[*15] ここで重要なのは、こうした「冷淡さ」や「そっけなさ」といったイメージは、「恋人」や「赤いバラ」という言葉を別個に思いうかべただけでは連想することができないという事実です。実のところ、「赤いバラ」という言葉から連想できる言葉は、「美しい」「情熱」「愛」などであり、「冷淡さ」や「そっけなさ」といった概念はまったく思いつかないのではないでしょうか。

つまり、この「冷淡さ」という性質は、それまで「恋人」や「赤

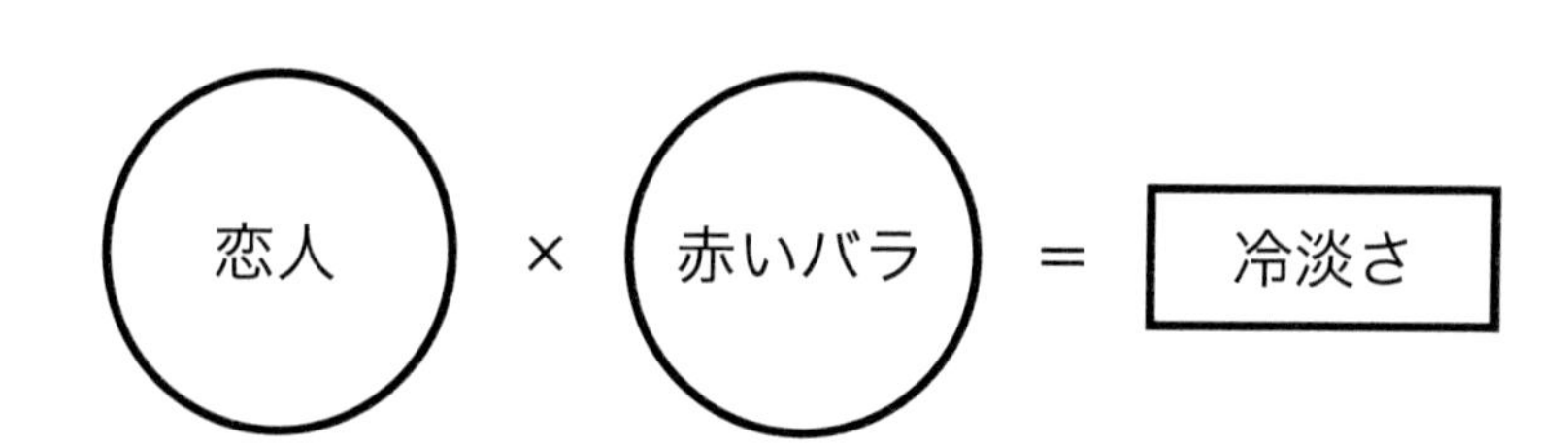

い バラ」という言葉には存在していなかった、もしくは見過ごされていた性質であると言えるでしょう。言いかえれば、詩的比喩というのは、二つの言葉を組み合わせることで、それまでなかった新しいイメージを言葉のなかに発見するという効果があります。バーンズは、「恋人」を「赤いバラ」にたとえることで、「冷淡さ」という新しいイメージを読者に想像させることに成功したのです（右ページの図参照）。

このように、私たちが普段使っている言葉は、まだまだ数多くの意味を秘めています。文学者の**篠田一士**[*16]も、詩的比喩の持つこうした魅力について次のように述べています。

ひとつの言葉は決してひとつの固定した意味をもってはいない。どんなに簡単な言葉でもふたつ以上の意味をもっているし、またぼくたちはつねにある言葉にぼくたち自身の意味を新しく見い出すことが可能なのである。[*17]

＊15 内海彰「比喩によってどのように詩的効果が喚起されるか　―比喩の鑑賞過程の認知モデルに向けて―」『人工知能学会全国大会論文集 JSAI03』人工知能学会、2001年、196ページ。

＊16 篠田一士 文芸評論家（1927～89）。「邯鄲にて―現代ヨーロッパ文学論―」で注目される。内外にわたる文学的教養を基底とし、私小説批判を中心に幅ひろい批評活動に従事した。

＊17 篠田一士「言語について」『詩的言語』（晶文社、1968年）所収。

詩的比喩の構造は漢字の構造に似ている

ある言葉が比喩として使われた際に新しいイメージが姿を現す現象＝創発特徴

篠田が指摘するように、詩的比喩の威力とは、言葉のなかに新しい「意味」を発見できることにあります。詩は言葉どうしを結びつけることにより、私たち自身も考えもつかなかった、ユニークな意味を生みだすことができます。

実のところ、こうした詩的比喩の構造は、私たちが普段使っている漢字の性質と、とてもよく似ていると言えるかもしれません。実際、アメリカの哲学者**アーネスト・フェノロサ**[*18]は、漢字が複数のイメージを合体させることによって意味を作りだしていることに注目しました。例えば、「信じる」の「信」という漢字は、「人」と「言（ことば）」という2つの字が合わさって成立しています。フェノロサが指摘したのは、これら2つの字が組み合わされると、「信じる」という、「人」にも「言」にも存在しなかった、まったく新しい意味が誕生するという点でした[*19]。たしかに、「信」という漢字に込められている「信じる」や「信用」といったニュアンスは、この字を構成する「人」や「言」という字にはまったく含まれていません。漢字は、2つの言葉を合体させることで、新しい意味を生みだしているのです。

詩的比喩の機能もこれと似ています。漢字の場合と同じように、詩的比喩は「イメージA」を別の「イメージB」と衝突させることにより、そこに新たな「イメージC」を生みだそうとするのです。こうした比喩の機能を内海彰は「**創発特徴**」と呼びました[*20]。創発特徴とは、先に挙げた「赤いバラ」の比喩のように、ある言葉を単独で考えた場合には現れないイメージが、その言葉が比喩として使われた際に姿を現す現象のことを指します。

さらに内海は、詩的比喩が次の3つの条件を満たすときにこうした創発特徴の効果が生まれると指摘しました。

詩的比喩の条件‥

1. 言語表現に内在する意図的な「ずれ」によって多大の処理労力・負荷、心理的緊張が生じる。

↓詩的な比喩で使われる言葉は、「恋人」と「赤いバラ」のように、まったく別のカテゴリー領域から選ばれているので、読者は二つの言葉をすぐに結びつけて解釈することができません。その結果、読者はすぐにその意味をつかむことができず、心理的なストレスが発生します。批評家**テリー・イーグルトン**[*21]の言葉を借りれば、詩とは「個々の語と他の語との錯綜した戯れを仕組む」[*22]ことなのです。逆に、「時間はまだたっぷり残っている」「ぼくらはもう引き返せない」といった比喩表現は、もはやそれが比喩だとは気づかないほど使い古され

＊18　アーネスト・フェノロサ　アメリカの東洋美術史学者（1853～1908）。東京大学で哲学などを教えるかたわら、日本美術を研究。岡倉天心とともに東京美術学校を創設し、新日本画の創造に尽力した。

＊19　Ernest Fenollosa, *The Chinese Written Character as a Medium for Poetry*. San Francisco: City Lights, 1936, p.10.

＊20　内海彰、前掲書、同ページ。

＊21　テリー・イーグルトン　イギリスの批評家（1943～）。独自のイデオロギー論、ポスト・モダン批判に定評がある。『文学とは何か』は文学理論の啓蒙書としてベストセラーとなった。

＊22　T・イーグルトン『詩をどう読むか』川本皓嗣訳、岩波書店、2011年、133ページ。

ているので、詩的比喩であるとは言えません。同様に、「恋人」と「赤いバラ」の組み合わせは18世紀の人々にはめずらしかったかもしれませんが、現代ではいささか陳腐な比喩に聞こえてしまうでしょう。

2. 言語表現の解釈が、「ずれ」を解消しつつ処理労力に見合うだけの豊かな内容を含む。

↓詩的な比喩によって生じたずれは、それが解消されたとき、たくさんの情報を読者に伝えることができます。例えば、先ほどの「ぼくの恋人は赤い赤いバラのよう」という比喩の例では、恋人の「美しさ」だけではなく、「冷淡さ」や「そっけなさ」といった新しい意味を生む効果がありました。このように、比喩がもたらす様々なニュアンスをじっくり考えることで、私たちは比喩の中に新しい意味を発掘することができます。一方、「人生は木でできた机である」のように、たとえ見慣れない比喩であっても、そこに新しい意味がまったく見いだせないような場合、それは詩的比喩とは言えません。

3. 豊かな解釈は、解釈の主体が何が起こったか判断できないほど一瞬のうちに生じる。

↓詩的比喩の効果は、読者が自分自身の力で、瞬時にそれを理解したときにしか感じることができません。例えば、「ぼくの恋人は赤い赤いバラのよう」という比喩の意味が分からず、何時間も費やしてしまっているならば、そこから豊かな解釈が生まれる可能性は大変低いと言えるでしょう。

このように考えると、詩的比喩と一般的な比喩とはまったく異なる種類のものであることが分かります。詩的比喩は単に意味の「ずれ」をもたらすだけではなく、そこから豊かな意味を作りだすことができるという点で、とりわけ重要な役割を果たしているのです。

絵画は二つのイメージの重ね合わせができないが、詩にはできる

イメージを重ね合わせる

ここまで私たちは、詩的比喩がどのように豊かな解釈を生みだすのかを見てきました。しかしながら、そもそもなぜ詩的比喩はこれほどたくさんのイメージを生みだすことができるのでしょうか？　実はそこには、私たちの持つ想像力が深く関わっているのです。

この点について理解するために、絵画と詩の違いについて少し考えてみましょう。私たちは絵を描くとき、いつもいろいろなモノを一つずつ分けて描いています。例えば、「自分の恋人」と「赤いバラ」という二つのものを重ねて描くようなことはしません。さもないと、何が描かれているのか、まったく分からなくなってしまうことでしょう。

ところが、詩の場合、読者は想像力を存分に活用することで、現実ではあり得ない「**二つのイメージの重ね合わせ**」を頭の中で実現させることができます。前に登場したイーグルトンも、この点について次のように述べています。

イメージの重ね合わせの例：西脇順三郎『天気』

言葉の上でなら、比喩の成分が何であれ、その両方を平気で結び合わせることができる——それはちょうど、言葉の上でなら「紫色の苦痛」、「猫抜きのにたにた笑い」、「四角い丸」、「生きながら死んでいる人」、「全体が石造りで、しかもすべてがゼリーでできた大聖堂」などと言えるのと同様だ。だが、いま挙げた現象のどれにせよ、視覚的に描き出すのは容易ではない。「ぼくの恋人は赤い赤い薔薇のよう」から、どんなイメージが思い浮かぶだろうか。まさか、眉毛をきれいに抜き揃えた、脚のすらりと細い薔薇なんかではあるまい。言葉は視覚化ができないからこそ、こんなうらやましいほどの自由が許されるのだ。*23〔傍点は原文ママ、引用箇所の原語表記部分を割愛——引用者〕

実のところ、「恋人」を「赤いバラ」にたとえようとする場合、絵に描くことができるのは、せいぜい赤いバラを持った恋人の姿ぐらいかもしれません。しかしながら、心のなかでなら、私たちは「恋人」のイメージを「赤いバラ」のイメージに重ね合わせることができます。そうすることができるのは、まさに私たちが想像力を持っているからにほかなりません。私たちは想像力を用いることで、詩的比喩によるイメージの重ね合わせを実践することができるのです。

実際、20世紀以降の詩人のなかには、こうした想像力の驚異的なパワーに注目し、イメージの重ね合わせによって自分の思いを表現しようと試みる人も現れました。例えば、**西脇順**

三郎[*24]の詩『天気』を見てみましょう。

(覆された宝石)のような朝
何人か戸口にて誰かとささやく
それは神の生誕の日

こうした詩を前にして、ほとんどの読者はどのように解釈すれば良いのかわからず、途方にくれてしまいます。というのも、「(覆された宝石)のような朝」「何人か戸口にて誰かとささやく」「それは神の生誕の日」というそれぞれの文は、互いに何の脈絡もなく、あたかも無造作に並べられたように感じられるからです。

このような詩を分析するためには、「イメージの重ね合わせ」によってこの詩が成り立っていることを理解しなければなりません。この点について考えるために、まずは私たちが書

＊23 T・イーグルトン、同書、374～375ページ。

＊24 西脇順三郎 詩人、英文学者（1894～1982)。シュルレアリスムを日本に紹介するとともに，その主知的実践としての詩集『Ambarvalia』により新詩精神運動の中心的存在となった。著作はほかに『旅人かへらず』『近代の寓話』など。

く一般的な文章が、どのような構造を持っているのかについて見てみましょう。例えば、次の文章を読んでみてください。

のび太がしずかにビンタされた。
のび太は泣いた。
しずかは去った。

この文章を読んだとき、私たちはそれぞれの文がつながっていると感じます。なぜなら、これらの文と文とのあいだには、時間的、もしくは因果的なつながりが見られるからです。実際、「のび太がしずかにビンタされた」ことによって「のび太は泣いた」のであり、その後で「しずかは去った」のだと言えるでしょう。このように、私たちが普段読んだり書いたりする文章（散文）には、文と文とのあいだに、いわば時間的、因果的な「**近接性**」がなければなりません。こうした関係を図式的に表すと、

「のび太がしずかにビンタされた」
↓
「のび太は泣いた」
↓

詩は時間的、因果的な「近接性」ではなく、「類似性」に基づく

「しずかは去った」

となり、それぞれの文は時間的、因果的な関係を持っていることが分かります。

一方、西脇の詩のような場合、各行の関係性はこうした「近接性」によって成り立っているわけではありません。むしろ、それぞれの文は、「**類似性**」という関係によって結ばれているのです。

「詩の文章が類似性によって成り立っている」とは、どういう意味でしょうか？「類似性」とは、「二つのモノが互いに似ていること」を指す言葉です。つまり、詩におけるそれぞれの文は、一見まったく別のことを述べているように見えて、実際はどれも同じテーマを繰り返し伝えているのです。言いかえれば、「（覆された宝石）のような朝」と「何人か戸口にて誰かとささやく」とのあいだには、はじめからいかなる時間的、因果的なつながりもないということになります。むしろ、これら二つの文はどちらも、ある一つのテーマを異なるイメージで伝えようとしているのです。

それでは、「詩の文章が類似性に基づいている」という視点に立って、もう一度この詩を読んでみましょう。まず、タイトルの「天気」とは、「明日天気になあれ」や「明日は天気になるだろう」というように、「晴れた空」を表現しています。つまり、この詩は天気のよい朝の感覚を受けとめて、それをさまざまなイメージで表現しようとしている詩であると言えるでしょう。*25

例えば、「（覆された宝石）のような朝」という文からは、宝石箱にたくさん入ったカラフルな宝石がひっくり返されたときに放たれる、目もくらむほど美しい光のイメージを想像するかもしれません。そうしたきらびやかな光のイメージからは、作者が天気のよい朝に感じた、鮮やかな日の光も感じることができるでしょう。

次の「何人か戸口にて誰かとささやく」という文からは、はっきりとはとらえられない、ぼんやりとした人間の姿がまず想像され、続いて彼らがひそひそ声で会話しているイメージが浮かびあがります。はっきりとした声ではなく、「ささやいている」という姿からは、まるで誰も声をたてることは許されないような、朝日の荘厳さ、神聖さといった印象を感じとることができるでしょう。

最後の「それは神の生誕の日」とはどういう意味でしょうか？　類似性の法則に基づくなら、これも同じ「晴れた朝の様子」をイメージしている描写であると推測することができます。実際、「神」という言葉から連想されるのは、神聖、平和、もしくは神々（こうごう）しいイメージかもしれませ

イメージ①「（覆された宝石）のような朝」

＋

イメージ②「何人か戸口にて誰かとささやく」

＋

イメージ③「それは神の生誕の日」

＝

作者が感じた、天気のよい朝の神秘的な感覚

ん。そうした神秘的な雰囲気が「生誕（誕生）」する空間として、作者は朝のおとずれを表現しました。言いかえれば、これら三つのイメージを重ね合わせることで、作者は「天気のよい、朝の神秘的な感覚」を表現しようとしたのです（右ページの図）。

このように、詩においては、各行ごとに展開するイメージが次々と重ね合わせられて、全体で一つのテーマを伝えることが少なくありません。実際、詩人の鈴木志郎康は、文というのが本来「時間を追って出てくることばの前後の関係が明確な意味を生むべき」であるにもかかわらず、詩の場合は「その前後の関係の緊密さが失われ、意味が曖昧に」なる結果、「逆にことばがイメージを呼び込みやすく[*26]」なっているという点を指摘しています。ヤコブソンも、こうした詩の特徴を指摘し、詩の言葉が「等価性の原理」によって構成されていると考えました。事実、『天気』の例を挙げれば、どの文章も結局は同じ「天気のよい朝の神秘的な光景」を描写しているという意味で、同じ価値（＝等価性）を有していると言えるのです。

*25　宮崎健三「詩の鑑賞指導の方法」『国語科教育（8）』全国大学国語教育学会、1961 年、144 ページ。
*26　鈴木志郎康、前掲書、199 ページ。

イメージの重ね合わせの例：鮎川信夫『出港』

同様の例として、**鮎川信夫**[*27]の詩**『出港』**の最初の一節を読んでみましょう。

しずかな朝であった
あらゆる鎖がひとりでにきれ
あらゆる船が港から出てゆきそうな
美しい朝であった。

1行目の「朝」とは、一日の始まりでもあると同時に、比喩的には「なにかの始まり」を意味するものとして用いられる言葉です。また、2行目の「鎖」という道具から連想されるのは、「束縛」や「拘束」といった、否定的なニュアンスであると言えるかもしれません。そうした鎖が「ひとりでにきれ」るという表現は、「何か呪縛のようなものが解けたような喜び[*28]」を読者にイメージさせます。同様に、3行目の「あらゆる船が港から出てゆきそうな」という言葉からも、船が自由を獲得している、解放的なイメージを読者は読みとることができるでしょう。そして4行目には、1行目に登場した「朝」という言葉に、「美しい」という肯定的なイメージが付け加えられることで、作者が感じている感動の高まりがより一層強調されているのです。

つまり、1行目から4行目の文章は、どれもタイトルにある「出港」というテーマを構成する、一つひとつのイメージにほかなりません。これらの要素が重なり合うことによって、

イメージの重ね合わせの例：天沢退二郎『街について』

はじめて「出港」というテーマが読者の心に浮かびあがってくるのです。

最後に、**天沢退二郎**[*29]の詩**『街について』**の一節を分析してみましょう。[*30]

冬の日雲がそれそのもののように垂れ下って
地面すれすれに流れている街がいい
いしやすながかわいていて
電柱のタアルの根もとだけ浮んでいる街がいい
見えないそらで旗がパタパタ鳴るのがいい
十字路でそっぽ向いた犬に出偶(であ)う街
あるいて行くと門がみんな喪章のように閉じていて
うしろへうしろへ瞬きもせず旋(めぐ)ってゆく街がいい

＊27　鮎川信夫　詩人、評論家（1920～86）。『荒地』創刊以後、同誌の主導的地位を占めた。テーマの多様性、感情領域の広さを示す詩と詩論を展開。新時代の人間苦を表現する詩人として注目された。

＊28　角田敏郎「鮎川信夫「出港」」『國文學 解釈と教材の研究（24）』學燈社、1979年、109ページ。

＊29　天沢退二郎　詩人、仏文学者、児童文学作家、宮沢賢治研究者（1936～）。1960年代を代表する詩人のひとりにあげられる。『〈地獄〉にて』で高見順賞。『幽明偶輪歌』で読売文学賞を受賞。

＊30　以下の分析は、戸塚隆子「天沢退二郎「街について」」（『國文學 解釈と教材の研究（25）』學燈社、1980年所収）に基づく。

読者はまず、1行目の「冬の日雲がそれそのもののように垂れ下って」という文から、冬の日に見るどんよりとした、灰色がかった雲のイメージをまっさきに想像するかもしれません。しかしながら、2行目ではこうした憂いに満ちた雲が空ではなく「地面すれすれに流れている」と述べられています。ここから読者は、これがよくある一般的な冬の風景ではなく、作者の想像の中にある、神秘的な心の風景であることを理解することができるでしょう。

3行目の「いしやすながかわいていて」では、石や砂の存在が強調されています。石や砂といった、いわゆる無機物が湿り気を失い、乾ききっているという場面からは、生命的な温かみが消えた、モノトーンで冷たいイメージを感じとるかもしれません。続く4行目の「電柱のタアルの根もとだけ浮んでいる街」にある「タアル」とは、石炭から作られるべとべとした黒の液体のことを指しています。私たちが道路でよく見かける電柱はコンクリートで作られていますが、昔は木にタアルを塗った電柱がよく使われていました。こうした事実からも分かるように、この文から連想されるのは、冬の雲に満ちた灰色の世界に浮かぶ漆黒であり、生彩を欠いた、きわめて暗いイメージにほかなりません。

5行目の「見えないそらで旗がパタパタ鳴るのがいい」という文では、まず「見えないそら」という言葉から、雲に包まれた灰色の世界が再び強調されていることが分かります。一方、「旗がパタパタ鳴るのがいい」という文には、それまでの視覚的なイメージではなく、「パタパタ」という聴覚的な表現が用いられていることに注目しましょう。この「パタパタ」というかわいたオノマトペから、読者はそれまでの否定的な雰囲気と同様に、街の空虚感や静寂さをイメージできます。

こうした憂うつなムードに調和するかのように、この街に住んでいる人々の生活には、活気がまったく見られません。十字路で出会う犬は「そっぽを向」き、あたかも作者とのコミュニケーションを拒んでいるかのようです。さらに、人が住んでいるはずの家の門は、「みんな喪章のように」閉じてしまっています。喪章とは人の死をいたんでつける黒色のしるしを指しており、ここでも灰色と黒の陰うつなイメージが繰り返されていることが分かります。さらに読者は、「喪章」という言葉から、どんよりとした重苦しい世界の背後に、死のイメージが隠れていることに気づくかもしれません。つまり、これら一つひとつのイメージの重ね合わせから浮かびあがってくるのは、生の営みから排斥された世界、孤独と虚しさに満ちた、「死の世界」なのです。

このように、コロケーションや比喩は、詩の中に独特なイメージを生みだすうえで欠かせないものとなっています。もちろん、「詩の中には、文学的な芸術作品としての機能や効果

*31　M. Riffarte, 'Describing Poetic Structures: Two Approaches to Baudelaire's "Les chats"', Yale French Review 36-7, p. 202.
*32　佐藤洋一「詩教材におけるイメージの特質と構造　―萩原朔太郎の詩を例に―〈特集〉国語教育研究の多様なる展開」『国語科教育(36)』全国大学国語教育学会、1989年、83ページ。

イメージこそ詩の特性を形成する核心ともいうべき要素

を果たしていないようなある種の構造も含まれている」[*31]とフランスの評論家ミカエル・リファテールが述べているように、作品に書いてある一つひとつの文がいつも何らかのイメージを呈示しているとはかぎりません。しかしながら、イメージこそ「詩を一典型とした文学作品の特性を形成する核心とも言うべき要素」[*32]〔傍点は引用者〕であると文学者の佐藤洋一が指摘しているように、イメージをまったく有さない詩が存在しないのも事実です。詩を分析する時には、イメージがどのように作られ、作品にどのような効果をもたらしているのかについてぜひ考えてみましょう。

第4章
詩の構造

言葉がどのように組み立てられているのか＝詩の「構造」

ここまで、私たちはリズムやイメージといった、詩を組み立てるうえで欠かせない要素を見てきました。いわば、詩という「料理」を作るのに必要な「素材」について学んできたと言っても良いでしょう。しかしながら、おいしい料理を作るためには、素材を研究するだけではまだ十分とは言えません。なぜならプロの調理人は、素材の味を知るほかに、正しい「調理法」もマスターしなければならないからです。

素材をいつ、どのように調理するかによって、料理の味は変わってきます。タマゴをそのままフライパンで熱したら「目玉焼き」が生まれ、溶いてだし汁を加えて焼き上げれば「だし巻き卵」が完成します。アレンジを加えれば、ケーキやカステラなどの菓子にもなったり、天ぷらやトンカツの衣にもなったりすることができるでしょう。

同じように、どのような詩が生まれるのかは、「言葉」を調理する方法によって大きく様変わりします。たとえ美しい言葉が頭に浮かんでも、それがふさわしい場所に置かれなければ、せっかくの詩が台なしになってしまうかもしれません。このように、完成度の高い詩が作られるためには、言葉がどのように組み立てられているのかという、詩の「**構造**」に目を向ける必要があるのです。この章では、詩人がどのように詩を生みだしているのか、そのテクニックについて見ていきましょう。

萩原朔太郎『月に吠える』から始まった自由詩

詩の形(フォーム)を求めて——マチネ・ポエティクの盛衰

近代に入るまで、詩の構造を決めていたのは「音の数」というルールです。実際、日本では俳句や短歌のように、長い間5音や7音という「音の数」に基づいて詩が作られてきました。このように、音の数によって一定の型がはめ込まれている詩は、「**定型詩**」と呼ばれています。

しかしながら、第2章でも述べたとおり、近代の詩人たちは、こうしたルールに縛られていては、自由に自分の思いを伝えられないと感じるようになりました。その結果、萩原朔太郎をはじめとする意欲的な詩人たちによって、出来合いの型にとらわれずに、ありのままの感情を表現しようという動きが起こります。彼らは「音の数」という窮屈な型を破ることで、躍動的でユニークな詩を作ろうと試みたのです。

実のところ、「音の数」の束縛から解き放たれたことで、彼らはきわめて独創的な詩を作ることに成功します。例えば、萩原朔太郎が一九一七年に出版した詩集**『月に吠える』**は、文壇から高い評価を受け、多くの読者によって読まれ続けることになりました。作品の中に一切のきまりを置かないこうした詩は「**自由詩**」と呼ばれ、現代では詩のメインストリームとなっています。

自由詩は形式にとらわれなかった結果、数々の魅力的な作品を世に生みだすという成果を挙げましたが、同時に大きな問題を抱える結果ともなりました。もしも、詩を形作るいかな

「音の数」に代わる新しい詩の形を打ち立てようとした「マチネ・ポエティク」

るルールも必要ないのであれば、「詩」と「詩ではない文章」との線引きは、いったい誰がどのように決めれば良いのでしょうか？　言いかえれば、詩だけが持っている固有の構造、いわば、ある作品が詩であるための条件とは、一体何なのでしょうか？　自由詩の誕生は、こうした詩のアイデンティティーに関する大きな問題を詩人たちに突きつけるものとなったのです。

例えば、自由詩の先駆者である萩原朔太郎は、特定のイメージを何度も反復させることで、「音の数」に代わる新たなリズムを生みだそうとしました。しかしながら、結局のところそのようなリズムは特定の作品においてのみ発生する、一回かぎりのリズムにすぎず、すべての作品に当てはまる構造とは言えません。

このように、「詩の構造」という本質的な問題には、萩原もはっきりとした答えを出すことができませんでした。詩を作るにはイメージを言葉の中に溶かし入れなければならないと主張しつつも、その具体的な方法についてはうまく説明することができなかったのです。

一方、こうした自由詩の無秩序に対抗するべく、「音の数」に代わる新しい詩の形（フォーム）を打ち立てようとするグループも現れました。それが、**「マチネ・ポエティク」**と呼ばれる詩人のグループです。**福永武彦**[*1]、**中村真一郎**[*2]、**加藤周一**[*3]らによって1940年代に起こったマチネ・ポエティクは、自由詩が詩の世界に混乱をもたらしているとして、次のように断罪します。

現代の絶望的に安易な日本語の無政府状態を、矯め[4]鍛えて、新しい詩人の宇宙の表現手段とするためには、厳密な定型詩の確立より以外に道はない。[5]

日本の詩に押韻を導入

自由詩の混乱状態をこのようにきびしく批判した彼らは、「音の数」に代わる新しい詩の形として、「**押韻**（おういん）」を詩に導入することを主張しました。押韻とは、同じ母音を持っている単語を何度もつなげる方法のことを指します。例えば、「インテル入ってる」「わたしらしくをあたらしく」「電気に、本気」といったキャッチコピーには、どれも同じ母音が繰り返されていることが分かります。このように、韻を踏むことは、詩のなかにテンポを生みだし、人々の心に強い印象を残すという点で、とりわけ効果的であると言えるでしょう。

実のところ、押韻によって詩に形を生みだすことは、昔からヨーロッパの詩人たちのあいだでは定番の手法として用いられてきました。マチネ・ポエティクのメンバーたちは、この押韻という手法に注目し、それを日本の詩に導入することによって普遍的な詩の型を確立し

*1 **福永武彦** 詩人、小説家、評論家 (1918 ～ 79)。『1946　文学的考察』を刊行して注目される。結核ために7年間を療養所ですごしてのち、『草の花』『冥府』など、現実を死の側から描く作品を発表。『忘却の河』『死の島』などを含め、先鋭な方法意識に根差して内的な魂の問題を追求した作品が多い。

*2 **中村真一郎** 小説家、文芸評論家 (1918 ～ 97)。戦時下に書き綴った『死の影の下に』などで戦後派作家として注目を集める。他に『四季』四部作など。『頼山陽とその時代』で芸術選奨を受賞。

*3 **加藤周一** 評論家 (1919 ～ 2008)。評論集『一九四六・文学的考察』を発表。その後は文学・文化・美術・政治など幅広い分野で評論活動を行った。評論『日本文学史序説』『雑種文化』、小説『ある晴れた日に』など。

*4 **矯め** 曲がっているものを伸ばしたり、まっすぐなものを曲げたりして、形を整えるのこと。

*5 福永武彦ほか『マチネ・ポエティク詩集』真善美社、1948 年、16 ページ。

押韻の例：福永武彦の詩『火の島　ただひとりの少女に』

ようとしたのです。例えば、福永武彦の詩**『火の島　ただひとりの少女に』**を読んでみましょう。

死の馬車のゆらぎ行く日はめぐる
旅のはて　いにしえの美に通い
花と香料と夜とは眠る
不可思議な遠い風土の憩(いこ)い

漆黒の森は無窮(むきゅう)をとざし
夢をこえ樹樹はみどりを歌う
約束を染める微笑の日射(ひざし)
この生の長いわだちを洗う

明星(みょうじょう)のしるす時劫(じこう)を離れ
忘却の灰よしずかにくだれ
幾たびの夏のこよみの上に
火の島に燃える夕べは馨(かお)り

あこがれの幸をささやく小鳥
暮れのこる空に羽むれるまでに

この詩の行末に注目してみると、1連目は「る・い・る・い」、2連目が「し・う・し・う」、3連目は「れ・れ・に」、そして4連目も「り・り・に」と、テンポよく韻を踏んでいることが分かります。このように、マチネ・ポエティクは「何でもあり」な自由詩の流行に反対し、押韻によって詩を形作ろうと試みたのです。

日本語の母音の「単調さ」

しかしながら、こうしたマチネ・ポエティクの実験は無残にも失敗に終わりました。一番の理由としては、日本語という言語における「単調さ」が挙げられます。例えば、英語には母音の数が17個もありますが、日本語には「あ・い・う・え・お」のたった5個しかありません。また、ほとんどの音節が「か（Ka）」や「さ（Sa）」のように、子音1個と母音1個の組み合わせで成り立っているので、結局のところ同じ文字の繰り返しとなってしまい、よりいっそう単調さが目立ってしまうのです。

こうした点から、押韻によって詩を型にはめ込もうとしたマチネ・ポエティクの活動は、**中桐雅夫**[*6]や三好達治らの痛烈な批判を浴び、一九五〇年代には解散することになりました。押韻によって詩に形を作ろうとする方法は、今ではほとんど試みられていません。むしろ、押韻を活かそうとする動きは、ラップやヒップホップという音楽の領域において盛んになっていると言えるでしょう。

自由詩の構造

マチネ・ポエティクの運動が挫折してからも、さまざまな詩人たちが自由詩に共通の「型」を見いだそうと努力してきました。いわば、自由詩の「見本」となるものを読者に提供しようと試行錯誤を繰り返してきたのです。

しかしながら、私たちは今日に至るまで、「詩とはずばりこういうものだ」という、はっきりとした形を見せられていません。北川透はこうした現代の状況を次のように指摘しています。

現代詩も口語自由詩としての、少なからぬ歴史をもつようになったが、読者は、中原中也が期待したような、〈ああいうもの〉という〈型〉において受けとるまでに至ってはいない。むしろ、読者がいま現代詩について、〈ああいうもの〉と受けとっているのは、〈型〉からますます遠くはなれて、わけのわからぬものになっている、という印象なのかも知れない。*7

たしかに、私たちは俳句という言葉を聞いて、すぐに「五・七・五のリズムで書かれた詩」であると説明することができますが、「現代詩」や「自由詩」という言葉を聞くと、「なんだかよく分からない詩のこと」、「何でもありの自由な詩のこと」であると感じてしまうかもしれません。それでは、現代詩には本当に、一定の形や構造というものは存在しないのでしょうか？

現代詩には共通のレトリックは存在しないが、その詩固有の型が存在している

この点について北川は、現代の詩にはどの詩にも当てはまるような共通の「**レトリック（表現技法）**」は存在しないが、一つひとつの詩には必ず、それぞれのテーマに応じた、その詩固有の型が存在していると論じ、次のように述べています。

> 定型のリズムを構成する音数律のレトリックは、普遍的な規範として反覆されるのに対して、非定型の作品の構造を決定するレトリックは、普遍的な規範ではない。それは詩の語り手が、モティーフに応じて恣意的に〔思いつきで――引用者〕採用し、恣意的に繰り返したり、しなかったりするものだ。*8〔傍点は引用者〕

北川が指摘しているように、現代詩の作品にはどれも、その作品を形作る固有の表現技法

＊6　中桐雅夫　詩人（1919～83）。神戸高等商業時代『LUNA』『LE BAL』を創刊。第二次世界大戦後に鮎川信夫らと詩誌『荒地』を創刊し、戦後詩潮流の中心部にあって、独特の生の重い響きを歌った。

＊7　北川透、前掲書、302ページ。

＊8　北川透、同書、318～319ページ。

が常に存在しています。しかしながら、詩人は作品のテーマに応じて、こうしたレトリックを選択しているのであり、ある作品で使われたレトリックを、必ずしも別の作品で同じように用いるとはかぎりません。このように、現代詩においては、作品の構造はその内容と深く結びついているのであり、テーマが異なれば使われるレトリックも当然異なることになるのです。

現代詩ではテーマが異なれば使われるレトリックも異なる

実のところ、こうしたレトリックの使い分けは、私たちも日常的に行っていると言えるかもしれません。例えば、私たちは相手の服装を純粋に褒めたいとき、「すてきなドレスですね」という言葉を丁寧でやさしいトーンで述べることでしょう。一方、相手が場違いな服装をしていることを指摘したい場合、私たちはひどく大げさに、皮肉めいた調子で「すてきなドレスですね」と述べるかもしれません。このように、私たちは言葉を伝える「方法」を伝えたい「内容」に応じて使い分けていると言えます。

それでは、詩人たちは一体どのようなレトリックを用いて自分の思いを伝えようとしているのでしょうか？　ここからは、詩人が用いるさまざまなレトリックについて、一つひとつ具体的に見ていくことにしましょう。

サスペンス

サスペンスとは、「ストーリーの展開において、読者が感じる不安感のこと」を指します。

作者は読者の心に不安感を生みだすために、さまざまな謎をストーリーの中に散りばめようとします。読者はこうした謎を解決することができないので、不安や緊張が高まり、もっと先を読もうという好奇心に駆られてゆくことになります。そして、「さわりの部分」をあえて最後に登場させることで、読者をあっと驚かせ、強烈な印象を読者の心に残すことができるのです。

詩におけるサスペンス

サスペンスの例：中原中也『生い立ちの歌』

詩の中にサスペンスを生むための方法の一つとしては、前章でもとりあげた「比喩表現」を効果的に使うことが挙げられます。実は、比喩表現は一般的に、「たとえるもの」と「たとえられるもの」との類似性が少なければ少ないほど、サスペンスの度合いが高まっていくという特徴があるのです[*9]。例えば、中原中也の詩**『生い立ちの歌』**をみてみましょう。

*9　野浪正隆「文章表現におけるサスペンスについて（1）サスペンスとしての比喩」『学大国文 (36)』大阪学芸大学国語国文学研究室、1993年、104ページ。

I

幼年時

私の上に降る雪は
真綿（まわた）のようでありました

少年時

私の上に降る雪は
霙（みぞれ）のようでありました

十七―十九

私の上に降る雪は
霰（あられ）のように散りました

二十―二十二

私の上に降る雪は
雹（ひょう）であるかと思われた

二十三

私の上に降る雪は
ひどい吹雪と見えました

二十四

私の上に降る雪は
いとしめやかになりました……

Ⅱ

私の上に降る雪は
花びらのように降ってきます
薪の燃える音もして
凍るみ空の黝(くろ)む頃

私の上に降る雪は
いとなよびかになつかしく
手を差し伸べて降りました

私の上に降る雪は熱い
額に落ちくもる
涙のようでありました

私の上に降る雪に
いとねんごろに感謝して　神様に
長生したいと祈りました

私の上に降る雪は
いと貞潔でありました

文学者の野浪正隆は、この詩がどのようにサスペンスを作り上げているのかに注目しました。[*10]まずここでは、「私」の上に降ってくる「雪」の様子が、「真綿」「みぞれ」「あられ」「ひょう」「ひどい吹雪」など、さまざまな比喩によってたとえられていることが分かります。子供の頃は「真綿」のようにやさしく自分を包み込んでくれた「雪」が、大人の階段を上っていくにしたがって、「みぞれ」「あられ」「ひょう」「ひどい吹雪」というように、どんどん強烈で恐ろしい「雪」へと変わっていく様子が描かれているのです。

最初の2行で使われている「真綿」「みぞれ」といった言葉は、どれも難しい比喩表現ではありません。例えば、読者は「真綿」という言葉から、すぐに「やわらかい雪のイメージ」を連想することができます。また、「みぞれ」も「雪が空中で解けかけて水になった状態」を指す言葉であり、いわば雪の一種であると言えるかもしれません。私たちはこうした比喩表現をすぐに理解することができるので、この部分からサスペンスを感じることはないでしょう。

しかしながら、次の「あられ」という言葉はどうでしょうか？「あられ」とは氷の粒のことであり、決して雪ではありません。「雪が氷のように降る」というイメージを想像することは、なかなか難しいのではないでしょうか。つまり、私たちはこの比喩表現を読むときに、その意味をつかむことできず、結果として心の中に「謎」が生まれることになります。この謎を解こうとしてさらに読み進めると、今度は「雪がひょうのように降る」という、また新たな謎にぶつかってしまいます。「ひょう」という言葉は「あられ」よりも大きな氷を

＊10　野浪正隆、同書、107〜113ページ。

させてしまうのです。

意味しているので、「雪が大きな氷のように降る」という比喩表現は、ますます読者を混乱させてしまうのです。

ここで、読者は現実の「雪」を「あられ」や「ひょう」にたとえることの矛盾に直面します。「ひょっとしたら、ここで描かれている雪は本物の雪ではなく、何か別のものなのではないだろうか?」「私の読みは間違っているのだろうか?」「いったいこの雪は何を意味しているのだろうか?」という緊張と不安に読者はのみこまれていくのです。このように、「たとえるもの」と「たとえられているもの」との間に共通点が見いだせない比喩は、読者のサスペンス状態を高める効果があることが分かります。

もちろん、謎を解決せずに終わってしまったら、読者は最後まで不安感から解放されず、元も子もありません。したがって、作者は謎を解けるようにするために、何らかの手がかりを詩の中に残しておく必要があります。例えば、続く「私の上に降る雪は／ひどい吹雪と見えました」や「私の上に降る雪は／いとしめやかになりました……」という部分は、読者にとっては場面を想像しやすく、「雪」の正体を知るうえでヒントとなる比喩であると言えるでしょう。こうした比喩から、読者は「雪でない何かの辛さ激しさの程度」[*11]が強まったり、弱まったりしていることを感じることができます。

さらに、「Ⅱ」のパートに注目してみると、雪の謎を解決するために、さまざまなヒントが散りばめられていることに気づきます。例えば、「私の上に降る雪は／花びらのように降ってきます」や「私の上に降る雪は／いとなよびかになつかしく／手を差し伸べて降りま

*11　野浪正隆、同書、109ページ。

あえて共通点の少ない言葉を比喩表現として用いることで、サスペンスを作る

した」という比喩表現からは、雪の正体が自分に「手を差し伸べて」くれる人間であることや、それが「花びらのよう」な女性であることを推測することができるかもしれません。

そう考えれば、「熱い額に落ちくもる」「涙」を流したり、「いとねんごろに感謝」したりする感情の波乱が、この女性との関係によって生まれているのだと結論づけることができるでしょう。彼女は「真綿」のように作者をあたたかく包み込んでくれる時もあれば、「あられ」のように自分の心を残酷に打ち砕く時もある、魔性の女性だったのです。実際、最終連の「私の上に降る雪は／いと貞潔でありました」というフレーズは、「貞潔」が女性を形容するときによく用いられる言葉であることから、雪の正体が作者を虜にした女性であることを暗にほのめかしていると言えるでしょう。

このように、あえて共通点の少ない言葉を比喩表現として用いることにより、詩人は読者の心にサスペンスを作ることが可能となります。こうしたレトリックがうまく機能することで、作品の内容をよりミステリアスで魅力的なものへと変貌させることができるのです。

対義結合（撞着語法）と逆説法

対義結合、もしくは**撞着語法**と呼ばれる手法は、「反対の意味を持つ単語同士を結び合わせるレトリック」のことを指しています。普段はありえない、ユニークな言葉の結びつきを試みるという点では、前章で扱ったコロケーションの一種と言えるかもしれません。しかしながら、対義結合の場合は「不幸な幸福」や「冷たい炎」のように、まったく正反対の意味を持つ言葉同士をつなぎ合わせるという点が特徴です。

もちろん、「まったく矛盾する言葉を結びつけてしまったら、無意味な表現が出来上がってしまうのではないか」と考える人もいるでしょう。ところが、巧妙に計算された対義結合はある種の「ふくみ」を作品に持たせることで、微妙なニュアンスを伝えることができるのです。一例として、黒田三郎の**『夕焼け』**を読んでみましょう。

対義結合（撞着語法）＝反対の意味を持つ単語同士を結び合わせるレトリック

対義結合の例：黒田三郎『夕焼け』

いてはならないところにいるような
こころのやましさ
それは
いつ
どうして
僕のなかに宿ったのか

色あせた夕焼け雲のように
大都会の夕暮の電車の窓ごしに

僕はただ黙(もく)して見る
夕焼けた空
昏(く)れ残る梢(こずえ)
灰色の建物の起伏
影
美しい影
醜いものの美しい影

最終行にある「醜いものの美しい影」という対義結合は、読者の心に強烈な印象を植えつけます。一見、「醜いものが美しい」というロジックは、論理的に矛盾しているように感じるかもしれません。しかしながら、作者はこのような言葉の組み合わせによって、ありきたりな言葉では決して表現できない、きわめて複雑な思いを読者に伝えようとしています。

例えば、この詩をもう一度読みかえしてみると、作者が抱いている「いてはならないところにいるような」「こころのやましさ」が作品のなかに描かれていることが分かります。実のところ、作者の黒田三郎は、戦友がみんな死んでしまった太平洋戦争をただ一人生き残っ

逆説法＝真実の逆を述べて、そこにも真実が含まれていることを伝える表現

対義結合は「単語レベル」の、逆説法は「文レベル」のレトリック

た者として、いつも「負い目」を感じていました。[*12]

こうした戦争や自然災害などの悲惨な状況を経験した人の中には、愛する人が亡くなった一方で、自分だけが生き延びたことに対する罪悪感（サバイバーズ・ギルト）を感じることがあります。「家族や友人がみんな死んでしまったのに、自分だけが生き残ることは、死者に対する裏切りである」と感じてしまうのです。

同じように、この詩を書いた作者の心にも、戦争を「生き残ってしまった」ことへの強烈な負の意識がありました。そうした作者の視線に映った自分自身の影は、形としては美しく見えたかもしれません。しかし、その本質を見ようとすれば、見えてくるのはまさに、自分を責めさいなむ内面の醜さにほかならなかったのです。[*13] このように、矛盾する二つの言葉をぶつけることで、作者は自らの内に巣くう罪悪感を的確に表現しようと試みたと言えるでしょう。

対義結合に似たレトリックとして、**逆説法**という手法もあります。逆説法とは、「一般に真実だと想定されていることの逆を述べて、そこにも真実が含まれていることを伝える表現法」[*14]のことです。「あきらかに矛盾したことを述べる」という点では、対義結合も逆説法も似たようなものと思えるかもしれません。しかしながら、対義結合が二つの矛盾する単語どうしを結びつけることによって成り立つ、いわば「**単語レベル**」のレトリックであるのに対して、逆説法は文章全体を通して矛盾した思いを伝えようとする、いわば「**文レベル**」のレトリックであると言うことができます。例えば、吉野弘の詩『**雪の日に**』の一節を読んでみ

ましょう。

——誠実でありたい。
そんなねがいを
どこから手にいれた。
それは　すでに
欺くことでしかないのに。

ここで、文章全体が一つの矛盾を作りあげていることに注目してください。作者は第1連で「誠実でありたい」という願いを述べつつも、第2連ではそう願うこと自体がすでに「欺くこと」にほかならないと否定しています。言いかえれば、「誠実であろうとすることは欺

*12　高瀬和子「黒田三郎の詩における「影」の意味するもの」『岡大国文論稿 (20)』岡山大学文学部国語国文学研究室、1992年、49ページ。
*13　高瀬和子、同書、同ページ。
*14　瀬戸賢一「日本語のレトリック」岩波書店、2002年、204ページ。

くことである」という矛盾した思想がここで述べられているのです。

読者は最初、この逆説をどう解釈したら良いのか分からず、混乱してしまうかもしれません。しかしながら、視点を少しずらして考えてみると、この矛盾したメッセージが本当は一つの真実を伝えていることが分かります。例えば、「誠実でありたい」と願うということは、いかなる人間に対しても誠実であることを意味しています。つまり、ここで語られている「誠実でありたい」という願いは、「すべての人に対して、いつでも誠実でありたい」という意味にほかならないと言えるのです。

けれども、すべての人に対して誠実であることなど、果たして可能なのでしょうか？　例えば、上司に対して誠実になろうとすることが、同僚の信頼を失うことにつながるかもしれません。愛するという自分の気持ちに誠実になることが、ほかの誰かに対する裏切りとなることもあるでしょう。そうであれば、「すべてに対して誠実であることなど人間には不可能[*15]」であり、そう願うことがすでに自分を欺いていると言ってもいいのではないでしょうか。このように、作者は逆説法を用いることにより、人生における一つの真理を的確に言い表しているのです。

誇張法

誇張法とはその名のとおり、「ある事実を極端に大げさな言葉で伝える方法」のことを指

誇張法＝ある事実を極端に大げさな言葉で伝える方法

します。もしかしたら誇張法ほど、日常的にたくさん使われているレトリックはほかにないかもしれません。実際、「死ぬほど働いた」や「鳩が豆鉄砲を食った（くら）ような顔」など、慣用表現となった誇張的表現は数多くあり、私たちは普段からこのレトリックを使っていると言えます。

しかしながら、そもそもなぜ私たちは誇張した言いまわしを使いたがるのでしょうか？例えば、「鳩が豆鉄砲を食ったような顔」とわざわざ大げさに言わなくても、「驚いた顔」や「キョトンとした顔」といった言葉を使えば、だいたい同じような意味を伝えることができるでしょう。それなのに、私たちはなぜか内容を誇張して相手に伝えようとします。この謎について、佐藤信夫は次のように答えています。

異様な事実を「異様だ」と書いたのでは、正確に伝えることは困難だ。奇妙なようだが、考えてみれば当然ともいえるので、つまり、「異様な」ということばは申し分なく正常

＊15　杉浦静「吉野弘「雪の日に」」『國文學 解釈と教材の研究（32）』學燈社、1987年、96ページ。

使い古された言葉だけでは、「異常な事態」を表現できない

誇張法の例：まど・みちお『ほどうきょう』

> な形容語なのである。異様な事実は、その異様さにふさわしいそれ自体異様なことばでしか伝えられぬという、いわば《掛け値理論》の計算をほとんど本能的に承知しているのは、知性ではなく心情であった。[*16]〔傍点は引用者〕

佐藤が指摘しているように、異常さを表す形容詞は、それ自体としては何ら「異常」ではないと言えます。例えば、「驚いた顔」における「驚いた」という形容詞は、意味としては「**異常性**」を伝える言葉かもしれません。しかしながら、私たちはあまりにもたくさん「驚いた」という言葉を使ってしまっている結果、すでにこの言葉に慣れっこになっています。もはや、「驚いた顔」という言葉から「驚く」ことはできないのです。

したがって、「異常な事態」であることを強調するためには、それにふさわしい「異常な言葉」が登場しなければなりません。私たちは使い古された手持ちの言葉だけでは、「異常な事態」を決して忠実に表現することができないのです。同様に、詩人たちも何らかの「異常性」を読者に伝えるために、あえて誇張法を用いようとします。まずは、**まど・みちお**[*17]の**『ほどうきょう』**を見てみましょう。

あんなに高いところを
人がわたっていく

せっかく　みんなでこしらえた
きかいたちが
大いばりで　あばれまわるのを
じゃましてはいけないと

できるだけ地球をとおく
よけて　あるかなくてはと

あんなに高い雲の中を
よぼよぼ　とぼとぼ
人がわたっていく

＊16　佐藤信夫『レトリック感覚』講談社、1992年、240ページ。

＊17　まど・みちお　詩人（1909～2014）。児童雑誌に投稿した作品が詩人の北原白秋に認められ、詩や童謡の創作を始める。代表作に『ぞうさん』『やぎさんゆうびん』『一ねんせいになったら』など、現在まで愛唱される作品が多数ある。

ここでは、歩道橋が「高い雲」の高さまでもあるという点で、誇張表現が使われています。もちろん、私たちにとって、歩道橋が雲の高さまであるように見えるというのは大げさに聞こえるかもしれません。しかしながら、もしも子供の目線に立って考えるなら、歩道橋はいったいどのように見えるでしょうか？　小さな子供の目から見た大きな歩道橋は、きっと天に達するほどに高く映ることでしょう。このように、まど・みちおは、あえて誇張法を用いることにより、子供の視点から世界を表現しようと試みたのです。実際、この詩に関しては、ある小学三年生の子供がとても気に入って、この詩をそのまま詩のコンクールで発表してしまい、それが特選に選ばれて問題になったことさえあったと言われています。[*18]まさに、まど・みちおがいかに子供の視点から詩を書くことができたかを物語るエピソードであると言えるでしょう。

誇張法の例：吉本隆明『絶望から過酷へ』

今度は、**吉本隆明**[*19]の**『絶望から過酷へ』**の一節を読んでみましょう。

ぼくたちは肉体をなくして意志だけで生きている
ぼくたちは亡霊として十一月の墓地からでてくる

吉本は「なぜ詩を書くのか」という本質的な問いについて、全身全霊を注いで考えた詩人の一人です。彼にとって詩とは、「現実の社会で口に出せば全世界を凍らせるかもしれないほんとのことを、かくという行為で口に出すこと」[*20]でした。いわば、誰も直視したがらない世界の真相を暴露し、「全世界を凍らせる」ほどの衝撃的な事実を伝えることが彼の使命であったと言って良いでしょう。

そうした認識に立つならば、詩人は決して「まともな」人間であってはなりません。実際、普通の人間が「全世界を凍らせるかもしれないほんとうのこと」を書くことなどできるのでしょうか。むしろ、そのような社会を揺るがすメッセージというのは、昔から「狂人」や「予言者」といった、世間から怖がられ、迫害された「変人」から発信され続けていました。

そうであれば、ここで吉本がすでに死んだ人間として自分を描いていることもうなずけます。世間にとって、「全世界」に反抗しようという詩人は、社会の居場所（肉体）を失った、不気味な死者にほかなりません。「肉体をなくして意志だけで生きている」や「亡霊として十一月の墓地からでてくる」といった誇張的な表現は、世間から非難されても真実を伝えねばならない、詩人の異常な立場を忠実に伝えていると言えます。むしろ、誇張でしか表現できない現実であると言ってもいいかもしれません。このように、誇張法はただの大げさな言

誇張法はただの大げさな言いまわしではなく、真実をより正確に伝えるためのレトリック

＊18　吉野弘『現代詩入門（新版）』青土社、2014年、204ページ。

＊19　吉本隆明　詩人、評論家（1924～2012）。評論『高村光太郎』や『文学者の戦争責任』（共著）などで既成左翼を超える文学・政治思想を確立する。その後は『言語にとって美とは何か』や『共同幻想論』などで、言語、文学、思想についての新しい理論構築を目指した。

＊20　吉本隆明『詩とはなにか　―世界を凍らせる言葉―』思潮社、2006年、13ページ。

いまわしなどではなく、物事の真実をより正確に伝えるために使われる、重要なレトリックなのです。

緩叙法=表現の程度を低めることによって、かえって強い意味を伝えようとする手法

緩叙法

誇張法とは反対に、**緩叙法**は「表現の程度をひかえることによって、かえって強い意味を示す手法[*21]」のことであり、大きく二つのタイプに分けることができます。

一つ目は、「ちょっと気がある」や「好意をもっています」などのひかえめな言葉を口にすることで、逆に自分の強い気持ちを伝えるタイプです。例えば、学校で先生から「ちょっと話がある」と言われた場合、話の内容はおそらく「ちょっと」どころではない、とても深刻な問題であると言えるかもしれません。

緩叙法の例：中野重治『夜明け前のさようなら』

このタイプの緩叙法をうまく使用した例として、**中野重治**[*22]の**『夜明け前のさようなら』**の一節を見てみましょう。

僕らは仕事をせねばならぬ
そのために相談をせねばならぬ
然(しか)るに僕らが相談をすると
おまわりが来て眼や鼻をたたく

そこで僕らは二階をかえた
路地や抜け裏を考慮して

ここでは、革命運動に身を投じている青年の日常が描かれています。この詩が書かれたのは、警察によって国家権力への反抗が厳しく弾圧された時代だったのです。しかしながら、語り手は警察の横暴をことさら大げさに表現してはいません。むしろ、警察を「おまわり」というやわらかいニュアンスの言葉で置きかえ、彼らの拷問も「眼や鼻をたたく」という、きわめてひかえめな言葉で言い表しています。

このような表現が用いられていることで、私たちは語り手が、自分たちの受けている拷問を、まるでひとごとのようにコミカルに伝えていることが分かるかもしれません。実際、拷問の現場をありのままに表現するのではなく、一歩しりぞきながら、からかい気味に描くことで、逆に読者には凄惨な拷問の場面を想像するゆとりが生まれます。その結果、語り手が

＊21　瀬戸賢一、前掲書、201ページ。

＊22　中野重治　詩人、小説家、評論家（1902～79）。在学中から室生犀星の影響を受けて短歌や詩への関心を深め、また、林房雄らとの交友によりマルクス主義に近づいた。日本共産党の参議院議員となったが、後に党の方針と対立して除名された。

置かれている現実のみじめさが、よりいっそう引き立つことになるのです。
緩叙法の二つ目のタイプは、言いたいことの反対を否定する手法です。例えば、ツンデレ[*23]のキャラがよく使う「嫌いではありません」「いやではありません」などのフレーズは、「嫌い」や「いや」といった言葉を否定することで、逆に相手に強い恋愛感情を伝える効果があると言えます。このタイプのレトリックを活用した例として、萩原朔太郎の**『恋を恋する人』**の一節を読んでみましょう。

緩叙法の例：萩原朔太郎『恋を恋する人』

わたしはくちびるにべにをぬって、
あたらしい白樺の幹に接吻した、
よしんば私が美男であろうとも、
わたしの胸にはごむまりのような乳房がない、
わたしの皮膚からはきめのこまかい粉おしろいのにおいがしない、
わたしはしなびきった薄命男だ、

ここでは、「わたしの胸にはごむまりのような乳房がない」や「わたしの皮膚からはきめのこまかい粉おしろいのにおいがしない」といった、否定形のフレーズが使われています。そもそも、はじめから「乳房」や「おしろい」が存在しないのであれば、わざわざそれを言う必要はないでしょう。しかしながら、語り手はそれらが「ない」と故意に述べることで、読者の心に「乳房」や「おしろい」といった、元々「存在しない」イメージをあえて想像させようとしていることが分かります。いわば、「《わたしの胸》にないものが、〈ない〉という否定形を通じて、あるかのように思いうかべられている」[24]（傍点は原文ママ）ことによって、そこにはない「乳房」や「おしろい」がより一層強調されているのです。

ここまで見てきたように、これらの表現に共通するのは、ひかえめに言葉を語ることによって、自分の感情を強く訴えるという点です。緩叙法の特徴とは、「控えることが目立つことにつながる」[25]という、まさに逆説的なトリックが成り立つことにあると言えるでしょう。

ひかえることが目立つことにつながる

列叙法と漸層法（クライマックス）

列叙法とは、ものごとを念入りに表現するために、ことばを次々とつみあげていく表現方法[26]のことを指しています。誇張法や緩徐法のように、列叙法も物事をおおげさに伝える目的

列叙法＝ことばを次々とつみあげていく表現方法

＊23 **ツンデレ**　普段はつんつんと無愛想な女性が、特定の男性と二人きりになると、でれっと甘えてくるさま。または、普段は無愛想な女性が、時折甘えた行動をとるさま。アニメなどのキャラクターの性格設定として多く用いられる。

＊24　北川透、前掲書、81ページ。

＊25　瀬戸賢一「「誇張」と「ひかえめ」の修辞」『人文研究（39）』大阪市立大学文学部、1987年、527ページ。

＊26　佐藤信夫，前掲書、253ページ。

で使われますが、そのやり方は異なります。誇張法が「現実に対してつりあわない過剰な意味をもつことばを意識的につかう」[*27]のに対し、列叙法は「ことばの量を無理やり現実とつりあわせようとする」[*28]ことによって、意味を誇張しようとするのです。例えば、**関根弘**[*29]の**『この部屋を出てゆく』**を読んでみましょう。

列叙法の例：関根弘『この部屋を出てゆく』

この部屋を出てゆく
ぼくの時間の物差しのある部屋を
書物を運びだした
机を運びだした
衣物を運びだした
その他ガラクタもろもろを運びだした
ついでに恋も運びだした

時代おくれになった
炬燵（こたつ）や瀬戸火鉢
を残してゆく
だがぼくがかなしいのはむろん
そのためじゃない

大型トラックを頼んでも
運べない思い出を
いっぱい残してゆくからだ

がらん洞になった部屋に
思い出をぜんぶ置いてゆく
けれどもぼくはまたそれを
かならず
とりにくるよ
大家さん！

この作品の中核を成しているのは、まぎれもなく列叙法と言っていいでしょう。ここでは、

*27　佐藤信夫，同書、256ページ。

*28　佐藤信夫，同書、同ページ。

*29　**関根弘**　詩人、評論家（1920～94）。業界紙記者などをへて詩作に専念する。左翼的立場から戦後詩に新たな領域を切り開き、民衆出身の詩人・知識人として戦後詩のリーダー的存在となった。詩集に『絵の宿題』『死んだ鼠』、評論集に『狼がきた』など。

列叙法は言葉を大量に用いることで、伝えたい内容の大きさを反映しようとする技法

語り手が引っ越しをするために持ち物をたくさん運びだしている様子が描かれています。もちろん、単に荷物をたくさん運びだしたことを言い表したいのであれば、「ぼくは持ち物をたくさん運びだした」と、たった一言でコンパクトに表現してもよかったかもしれません。しかしながら、それでは運びだした荷物の量がどれほど多かったのかをうまく読者に伝えることができないのではないでしょうか。荷物のおびただしい量をより効果的に表現するためには、「書物を運びだした」「机を運びだした」「衣物を運びだした」など、あたかも荷物のように言葉を次々に積みあげていくことで、現実とつりあうほど言葉の量を増やす必要があったのです。

さらに、ここでは運びだした荷物のおびただしさと対比される形で、残しておかなければならなかった「思い出」の存在が強調されていることにも注目してください。家具や衣類は運びだすことができても、語り手がこの部屋で過ごした、かけがえのない思い出は、決して運びだすことができません。このような対比によって、部屋中にいっぱい詰まった思い出と、それに対して語り手が抱いている、一種のノスタルジックな感情を読者は感じとることができるのです。

このように列叙法とは、「文章の外形を、その意味内容およびそれによって造形される現実に似せてしまおうという努力の一種[*30]」にほかなりません。私たちが「たくさん」という意味を言い表したいがために思わず両手をひろげるように、列叙法は言葉を大量に用いることで、伝えたい内容の大きさを反映しようとする技法であると言えるでしょう。

漸層法＝言葉を積みかさねていくごとに言葉を盛りあげる手法

漸層法の例：岩田宏『ささやかな訪問』

列叙法と似たようなものとして、**漸層法**という手法があります。漸層法は、列叙法のように言葉を次々に並べていきますが、言葉を積みかさねていくごとに言葉を盛りあげ、最後にはクライマックスを演出するという特徴があります。あたかもはしごを一段一段のぼっていくように、漸層法では読者の感情がどんどん高まっていくと言ってもいいかもしれません。

一例として、**岩田宏**[*31]の**『ささやかな訪問』**の一節を見てみましょう。

ありふれた電車があり
ありふれたバスがあり
見知らぬ町筋がある
ありふれた八百屋があり
気のふれた犬が走り
ありふれたカリフラワーがある

＊30 佐藤信夫、前掲書、257ページ。

＊31 岩田宏 詩人、評論家（1932～2014）。繰り返し（ルフラン）、押韻の多用、語呂合わせ、ユーモアと皮肉、風刺のきいた詩風で知られる。『岩田宏詩集』で藤村記念歴程賞を受賞。

見知らぬ門があり　だしぬけに
四年ぶりの友だちがいる　敷居の外には
七百人の敵がいる

ここでは、町の様子が列叙法の形で描かれています。語り手は「ありふれたバス」「見知らぬ町筋」「ありふれた八百屋」といった、たくさんの言葉をそうぞうしいまでに並べたてることで、町のにぎやかな情景をリアルに再現しようとしていると言えるでしょう。
しかしながら、後半に入ると詩の雰囲気はだんだんと変化します。「気のふれた犬」の存在は、どこかしら町の異常性を感じさせますし、「ありふれたカリフラワー」や「見知らぬ門」という言葉も、決してよく使われているフレーズではないからこそ、かえって比喩的な意味合いを強く帯びているように思われます。そして、突如あらわれる「四年ぶりの友だち」の存在と「七百人の敵」というイメージによって、それまでの日常的な風景が、一気に現実ばなれした、緊迫感のある世界へと変身していきます。このように不安と期待が次第に高まることで、読者はこの詩の展開に強く心を奪われてしまうのです。

統語＝単語と単語をつなぐ規則、文の構造

統語論

統語とは、「単語と単語をつなぐ規則」のことを指す言葉であり、一言で言えば「文の構

同じ単語を使っていても、単語が置かれている順序（語順）が異なれば、意味も変わる

語順の変化の例：黒田三郎『海』

造」にあたります。例えば、「私は彼女を愛している」と「彼女は私を愛している」というフレーズは、どちらも同じ単語（「私」「彼女」「愛している」）を使っていますが、文の意味はまったく異なります。このように、たとえ同じ単語を使っていても、単語が置かれている順序（語順）が異なれば、意味も変わってしまうことが分かります。言語学者のイリヤ・ロマーノヴィチ・ガリペリンが指摘するように、「一風変わった語結合ばかりでなく、それらの語順もまた言表の内容と無関係ではない[*32]」のです。

それでは、語順の変化は具体的にどのような効果を詩にもたらすのでしょうか？　実のところ、詩人は特定のイメージを読者の心に刻みこませるために、語順に工夫を加えることがよくあります。例えば、第2章に登場した黒田三郎の『海』をもう一度見てみましょう。

駆け出し
叫び

*32　イリヤ・ロマーノヴィチ・ガリペリン『詩的言語学入門　―言葉の意味と情報性―』磯谷孝訳、研究社、1978年、127ページ。

笑い
手をふりまわし
砂を蹴り

飼いならされた
小さな心を
海は
荒々しい自然へ
かえしてくれる

ここで、作者が語順に大きな変化を加えていることに注目してください。普通、論理的な文章を書こうとするのであれば、主語である「海」を最初に置いた方が分かりやすいと言えます。しかしながら、作者は「海は」という言葉を1連目の最初ではなく、あえて後ろの方に置いているのです。

それでは、こうした語順の変更によって、どのような効果が生まれているのでしょうか？この点について、文学者の乙骨明夫は次のように述べています。

「海は」をあとまわしにしたのは、海を見た時の感激をまずじかにぶつけたことになるのである。作者のまず感じたのは海の、生命を感じさせる動作である。そうした場合に、どうして「海は」ということばがはじめに出てくるであろうか。前半の五行こそ海そのものなのである。[*33]

乙骨が指摘するように、「海は」という主語が後ろに置かれることによって、読者の心には「海」という概念ではなく、「駆け出し」や「叫び」といった、海の躍動的な動きのイメージがまっさきに入ってくることになります。このように語順を変えることによって、読者は作者が感じた海の躍動感を追体験することができるのです。

語順の変化によって特定のイメージを印象づける別の例として、萩原朔太郎の**『郵便局の窓口で』**の一節も見てみましょう。

語順の変化の例：萩原朔太郎『郵便局の窓口で』

郵便局の窓口で

*33　乙骨明夫、前掲書、119ページ。

僕は故郷への手紙をかいた。
鴉のやうに零落して
靴も運命もすり切れちやつた
煤煙は空に曇つて
けふもまだ職業は見つからない。

作者はこの詩を通して、失業して落ちぶれている自らの境遇を軽快なテンポで語っています。カラスのように無一文の彼は、自分の惨めな運命を「すり切れちやつた」とユーモラスに語っているのです。ここで、「煤煙は空に曇つて／けふもまだ職業は見つからない」という部分に注目しましょう。これは一見、何の変哲もない表現のように思えますが、よく見てみると「煤煙は空に曇つて」という文の語順が少しおかしいことに気づきます。というのも、「曇る」という動詞の対象は、「今日は空が曇っている」のように、本来「煤煙」ではなく「空」でなければなりません。つまり、作者は意図的に「空」と「煤煙」という語を入れ替えて、「煤煙は空に曇つて」いると表現しているのです。

それでは、なぜ萩原はあえて言葉を入れ替えたのでしょうか？　この点について文学者の平岡敏夫は、「空は煤煙に曇つて」という一般的な表現を「煤煙は空に曇つて」に置きかえることで、「〈煤煙〉のイメージを強く打ち出し、〈職業〉が見つかっていない暗い心の隠喩としたものである」[*34]と指摘しています。たしかに、「空は煤煙に曇つて」というありふれた表現からは、私たちは真っ青な空が煤煙で少し汚れているようなニュアンスしか読みとることができません。しかしながら、「煤煙は空に曇つて」という文であれば、どす黒い煤煙のイメージがまっさきに読者の心に入ってくることになるでしょう。こうした真っ黒なイメージを演出することにより、作者が抱く絶望的な思いがよりいっそう強調されることになります。このように、強烈なイメージを読者に植えつけるため、詩人はときに語の並びに意外な変更を試みるのです。

読者に強烈なイメージを植えつけるため、詩人はときに語の並びに意外な変更を試みる

余白

「詩を書く。この行為が、小説を書く、批評を書く意識との明らかな違いのひとつは、余白の魔性にまといつかれているところにあるのではないか[*35]」と北川透が述べているように、詩は「**余白**」と切っても切れない関係にあると言えます。実際、詩の一番の特徴と言えば、作

余白は詩の一番の特徴

＊34　平岡敏夫「萩原朔太郎「郵便局の窓口で」」『國文學 解釈と教材の研究（32）』學燈社、1987 年、48 ページ。
＊35　北川透、前掲書、34 ページ。

品の中にたくさんの余白があることが挙げられるのではないでしょうか。言いかえれば、余白という存在は、詩においてきわめて重要な役割を果たしているのです。

それでは、余白は実際のところ、どのように置かれているのでしょうか？　余白は大きく分けて、「行分け」と「行間」の二つのタイプに分類することができます。行分けとは、その名のとおり文を一行一行区切ることであり、「改行」と同じ意味を持っています。散文と比べて、詩においては一つの単語や文ごとに行分けが何度も行われることが少なくありません。例えば、黒田三郎の『海』をもう一度読んでみましょう。

余白の例：黒田三郎『海』

駆け出し
叫び
笑い
手をふりまわし
砂を蹴り

飼いならされた
小さな心を
海は
荒々しい自然へ

かえしてくれる

一見して分かるように、前半の5行においては、「駆け出し」「叫び」「笑い」などといったように、単語ごとに行分けが行われています。第2章ですでに見てきたように、行分けがもたらす効果の一つとしては、詩を読むテンポを速くしたり、逆に遅くしたりすることができるといった点が挙げられますが、行分けが詩にもたらす効果はそれだけでありません。例えば、ここで一つひとつの動作のイメージが、行分けによって強調されていることに注目しましょう。作者にとって、海の生き生きとした動きの変化は、その一つひとつが作者の心に強く印象づけられるという点で、とりわけ強く胸を打つものでした。つまり、海の動作一つ一つを、「作者はどうしても一行ずつ別別にあらわさずにいられなかった」[*36]のです。

さらに、後半の5行にも注意してみましょう。「飼いならされた／小さな心を」という最初の2行は、おそらくは自然から遠く離れてしまった、文明人の貧しい心の状態を表現した

*36 乙骨明夫、前掲書、121ページ。

ものであると言えます。本来、この2行は「飼いならされた小さな心を」と一行で言い表すこともできますし、もしくは逆に「飼いならされた／小さな／心を」と三行にわけて表すこともできたことでしょう。

しかしながら、作者にとって「小さな心」とは、現代人が持っている卑小な精神を表現するうえで、決して二つに割ることのできない言葉でした。また、「飼いならされた小さな心を」と一行で言い表してしまっては、「飼いならされた」という言葉に込められた、現代の「さめた心」のイメージを強調することができません。乙骨明夫が指摘するように、「飼いならされた小さな心」というメッセージは、「二行にわけて書かれることによって人間の卑小な心を最大限に表現するのにふさわしくなる」[*37]のです。

次の「海は／荒々しい自然へ／かえしてくれる」という行分けはどうでしょうか？　例えば、「荒々しい自然へ」を「荒々しい／自然へ」というように、二行に分けて書くことはできたかもしれません。しかし、それでは「自然の荒々しさ」というイメージが読者の心には残らないでしょうし、もしかしたら「荒々しい」のは自然ではなく海のことだと誤解してしまう可能性もあります。したがって、「ここは絶対に二行にはわけられないところ」[*38]だったのです。このように、行分けはどのイメージを強く打ち出すのかを決めるという点で、きわめて重要な役割を担っていることが分かります。

余白が生じる2番目のタイプは、「**行間**」です。行間とは、文章の行と行との間にある空白部分のことを指します。行と行の間にこのような空白を置くことによって、詩人は作品を

行間における空白の第一の役割は、視点やイメージの転換

いくつかのパート（連）に分けることがあります。例えば、先に挙げた『海』では、「砂を蹴り」と「飼いならされた」の間に行間が置かれており、大きく二つのパートに分けられていることが理解できます

こうした行間における空白の役割としては、第一に視点やイメージの転換が挙げられるでしょう。例えば、『海』の場合、作者は前半のパートで海の動きを観察していますが、後半では視点が海から遠のいて、海の本質について深く考察している語り手の様子が描かれていることが分かります。このように行間の空白は、『海』においては作者の視点の変化を示す効果があると言えます。

また、「サスペンス」の項目で紹介した、中原中也の『生い立ちの歌』についても考えてみましょう。この詩は空白が多用されることによって、いくつもの連に区切られていますが、よく見るとこれら一つひとつのパートが、さまざまな雪のイメージと見事に対応していることが分かります。つまり、行間の空白は雪のイメージの変化を反映していたのです。

*37　乙骨明夫、同書、同ページ。

*38　乙骨明夫、同書、同ページ。

行間の例：金子光晴『くらげの唄』

さらに、行分けの場合と同じく、行間は何らかのメッセージを強調したい場合にも用いられることがあります。一例として、金子光晴の『くらげの唄』の一節を見てみましょう。

ゆられ、ゆられ
もまれもまれて
そのうちに、僕は
こんなに透きとおってきた。

だが、ゆられるのは、らくなことではないよ。

外からも透いてみえるだろ。ほら。
僕の消化器のなかには
毛の禿びた歯刷子が一本、
それに、黄ろい水が少量。

心なんてきたならしいものは
あるもんかい。いまごろまで。
はらわたもろとも

余白は「詩そのものである言葉の空間配分をつくりだしてゆく」

波がさらっていった。

この作品は、くらげである「僕」の視点から、くらげの生き方について語ったものです。この本の冒頭でも述べたように、作者である金子は読点を加えたり、省いたりすることで、くらげの生きざまをリズミカルに描いていることが分かります。

特に、「そのうちに、僕は／こんなに透きとおってきた」という言葉からは、ゆられ、もまれることで、透明になったくらげのイメージが描写されています。読者はこうした描写を読むことで、ふらふらと漂うくらげの気楽で軽やかな生き方をイメージすることでしょう。

ところが、そうした明るいイメージは、次の一行によって突如転倒させられます。「だが、ゆられるのは、らくなことではないよ」という一行が登場することで、「波にゆられていることほど楽なことはない」という読者の固定観念がひっくり返されてしまうのです。ここで、作者がこの部分を強調するために、あえてこの一行の間に空白を置いていることに注目してください。このように行間に間を置くことによって、「波に流されることほど難しいことはない」という作者のメッセージが、より強く読者の胸を打つよう工夫されているのです。こうした余白の効果を考えると、余白を「詩そのものである言葉の空間配分をつくりだしてゆく」[*39]と見なした野村喜和夫の指摘がいかに的を射ているのかが分かります。

線条性＝言葉が一本の線のように続いている様子

「必ず順番に読んでいかなければならない」という言葉にとって致命的な「縛り」

線条性と現示性

「**線条性**」とは文字どおり、「言葉が一本の線のように続いている様子」を表す言葉です。私たちは文章に目を通すとき、必ず言葉をひとつずつ、順番に読んでいかなければなりません。2つの言葉を同時に読むことは物理的に不可能であると言えるでしょう。こうした、言葉が必然的に持っている時間的な流れについて、池上嘉彦は次のように述べています。

この「線条性」という性質は言語にとって宿命的なものである。それがために、仮りに現実の世界で全く同時に二つの出来事が並んで起こっていても、それを言語で表現するとなると、まずどちらかの出来事を語り、次にもう一つの出来事の方に移るという形にするか、両者を一部ずつ交互に語るか、いずれにせよ、線条的な形に直さなくてはならない。*40

彼が指摘しているように、「必ず順番に読んでいかなければならない」という性質は、言葉にとって致命的な「縛り」であると言えます。例えば、音楽や美術といった他の分野において、こうした「線条性」が問題になることはありません。私たちはピアノやヴァイオリンが奏でるさまざまな旋律を同時に聞くことができますし、絵画を鑑賞する際、私たちは作品全体を同時に眺めることでその美しさを味わおうとします。作品全体が一つの図柄として意味を生むことは**「現示性」**と呼ばれていますが、音楽や美術はまさにこうした「現示性」を有していると言えるでしょう。

一方、詩は「線条性」というルールがあるので、私たちは一枚の絵画のように作品全体を鑑賞することができません。もちろん、この「線条性」という性質があるからこそ、私たちは安心して文章を読むことができると言えます。実のところ、もし言葉がメチャクチャに置かれていたなら、私たちはそこから意味を読みとるために、多大な時間と労力を費やさなければならなくなってしまうでしょう。しかしながら、詩人の中にはこうした「線条性」という規則をあえて無視し、絵のように言葉を紙の上に置くことによって、感動や真実を忠実に伝えようとした人もいました。例えば、スイスの詩人**オイゲン・ゴムリンガー**[*41]の詩**『wind（風）』**を見てみましょう（次ページの図）。

ここで彼がどのように「風」という目に見えない存在を表現しているのかに注目してください。自然の中で生まれる風は、必ず何らかの「方向性」を持っています。しかも、西から

「現示性」を取り入れた例：ゴムリンガー『wind（風）』

＊39 野村喜和夫、前掲書、187ページ。

＊40 池上嘉彦、前掲書、136ページ。

＊41 オイゲン・ゴムリンガー ボリビア生まれのドイツ系詩人（1925～）。詩集『星座』において文字が持つ物質性・具体性に注目した。ドイツ語、スペイン語、フランス語など、様々な言語で詩を執筆している。

吹いたかと思うと突然向きを変えて北から吹いてくるなど、吹いてくる向きは気まぐれで、一つに定まることはありません。言いかえるなら、こうした風の変化は、「線条性」に沿って言葉を順番に書いていくような普通の文章ではうまく言い表すことができないのです。

このような問題を解決するために、ゴムリンガーは「線条性」という言葉の規則を意図的に破壊し、絵画のような「現示性」を詩に取り入れました。実際、ここでは「wind」というアルファベットが、あたかも風に飛ばされたように散り散りに散らばってしまうことで、「風のさまざまな方向への動き[42]」がみごとに再現されていることが分かります。

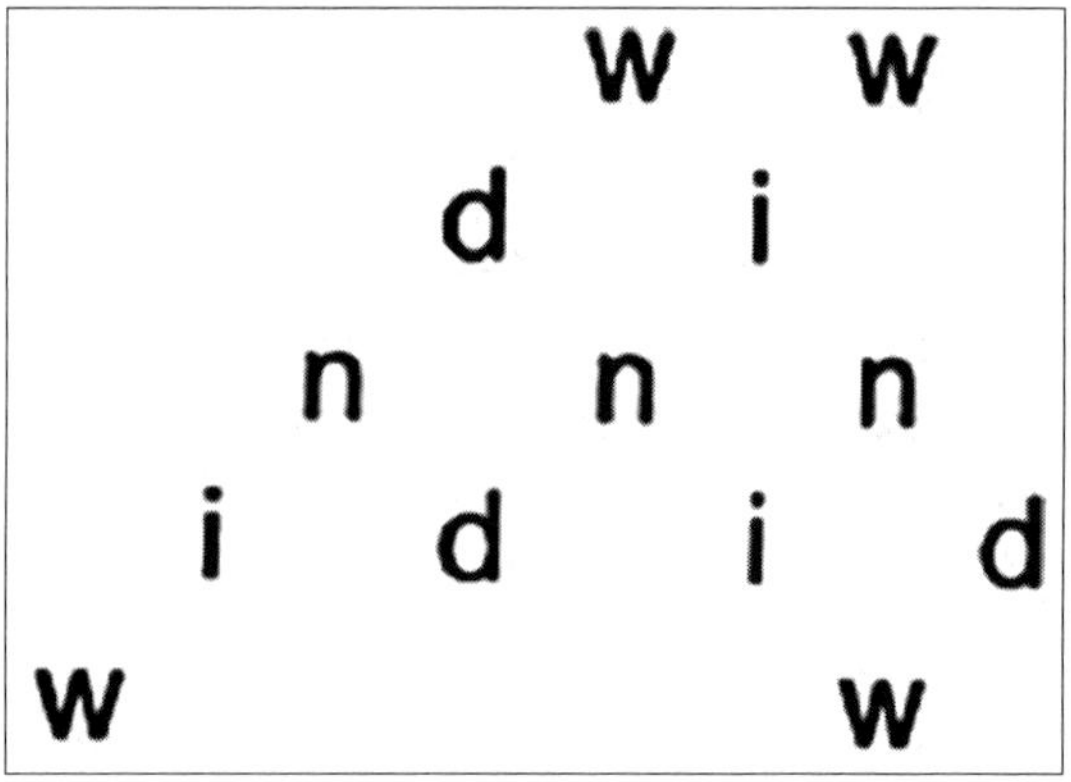

w w
d i
n n n
i d i d
w w

次に、**新国誠一**[43]の『淋し loneliness』を見てみましょう（次々ページの図）。この詩では、「林」という文字が実に1124個も並べられ、その中にただ一つ「淋」という字がぽつんと左上に埋め込まれています。言葉の「線条性」がこの詩においても破壊されていることに注目しましょう。実のところ、この詩を「林林林……」と順番に読んだところで、何らかの意味を見出すことはできません。言いかえれば、私たちはこの作品を一枚の絵として読んでいく必要があるのです。

「現示性」を取り入れた例：新国誠一『淋しloneliness』

それでは、この詩を全体的にとらえた場合、どのようなテーマが浮かび上がってくるのでしょうか？　この点に関して、文学者の涌井隆は次のように述べています。

「林」という漢字の集積は木々に覆われた森を連想させる。その中で一つの文字が「淋」であるということは、その感情を抱く人が森の中に一人で暮らしているという状況を表しているのかも知れない。その人は世を儚んだ隠遁者なのだろうか。隠遁者から連想されるイメージは達観した哲学者のそれであるが、時折、人知れず涙を流す瞬間があるのかもしれない。

（中略）さんずいへんを見ると、それから涙を連想する人は少なくないだろう。さんずいへんは絵文字として水の滴りや、涙を連想させるだけの普遍性を持っている。*44

涌井が指摘するように、「林」という文字が増殖され、過剰に並べられている姿から、私

*42　池上嘉彦、前掲書、141ページ。

＊43　新国誠一　詩人（1925〜77）。前衛的な具象詩運動の先駆者の一人であり、視覚や聴覚に訴える作品を生み出した。主著に『0音』『日仏詩集』（ピエール・ガルニエとの合作）など。

＊44　涌井隆「新国誠一の具体詩」『言語文化論集（36）』名古屋大学大学院国際言語文化研究科、2015年、132ページ。

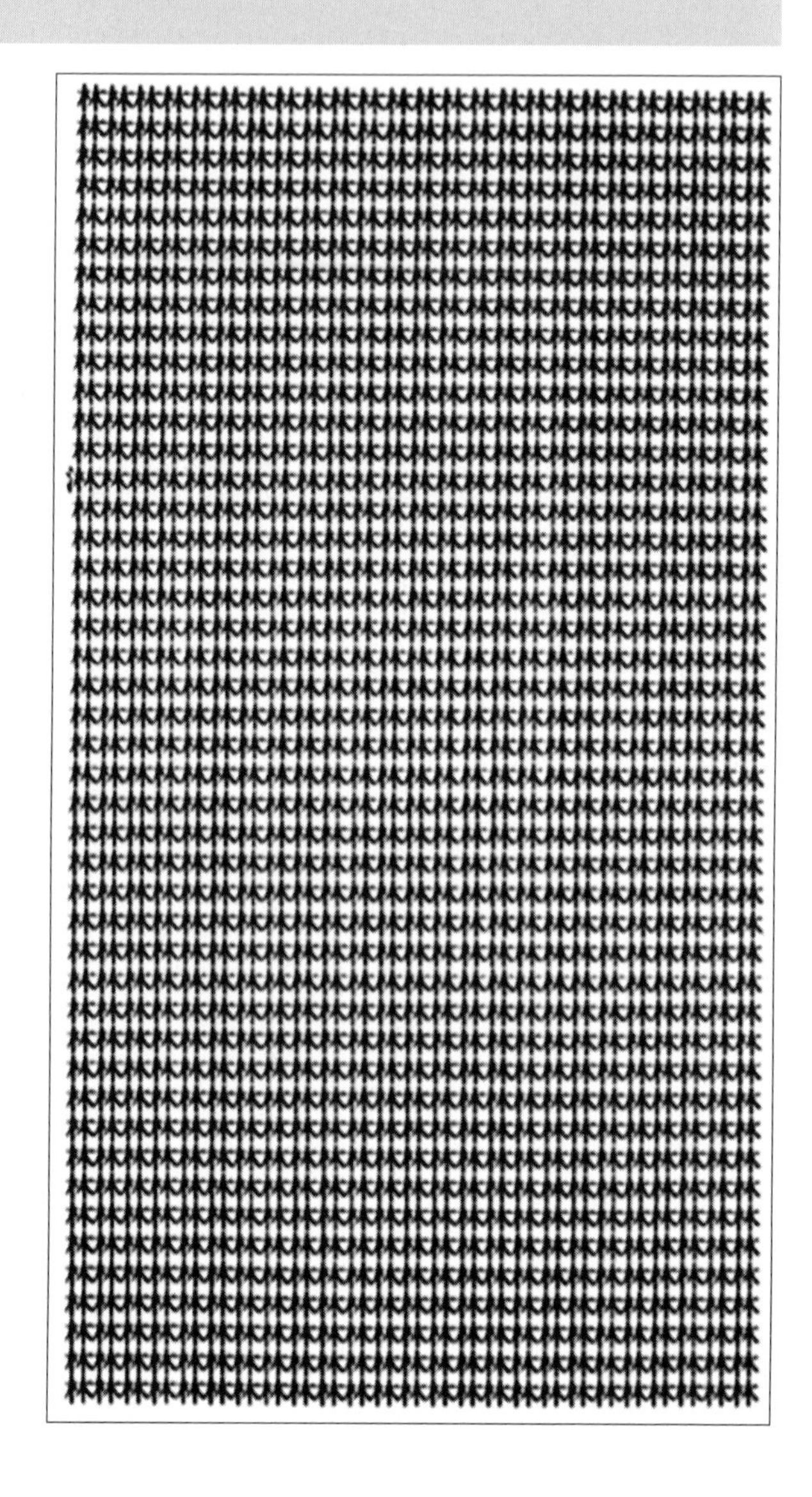

たちは無数にむらがって生えている木々をイメージすることができます。また、その中に「淋」という文字がたった一つ置かれることで、「淋」の孤立した様子がよりいっそう強調されていると言えるでしょう。このように、新国は詩の線条性を破壊することで、「淋しさ」という感情を絵画的に表現しているのです。

第5章
批評の実践例・Ⅰ
――吉増剛造『燃える』

吉増剛造『燃える』全文の分析

この章からは、今まで見てきた内容を参考にしながら、実際に一篇の詩をまるごと分析してみましょう。今回考察するのは、**吉増剛造**[1]の**『燃える』**です。彼の作品は長編が多いですが、この『燃える』は比較的短く、見事なまでにコンパクトに仕上がっています。ここでは文学者の秋枝美保や伊藤真一郎の批評[2]を参考にしつつ、作品をゆっくりと鑑賞してみましょう。

黄金の太刀が太陽を直視する
ああ
恒星面を通過する梨の花！

風吹く
アジアの一地帯
魂は車輪となって、雲の上を走っている

ぼくの意志
それは盲(めしい)ることだ
太陽とリンゴになることだ
似ることじゃない

乳房に、太陽に、リンゴに、紙に、ペンに、インクに、夢に！　なることだ
凄い韻律になればいいのさ

今夜、きみ
スポーツ・カーに乗って
流星を正面から
顔に刺青(いれずみ)できるか、きみは！

燃えあがるエネルギー

読者の心にまっさきに入ってくるのは、「黄金の太刀が太陽を直視する」という、とても強烈なイメージです。「黄金の太刀」が「太陽を直視する」とは、いったいどういう状況な

＊1　吉増剛造　詩人（1939〜）。第1詩集『出発』で注目を集める。疾走感あふれる詩篇で1960年代詩の中心的存在となって以来、現代詩を代表する詩人とされる。『黄金詩篇』で高見順賞、『熱風』で歴程賞、『オシリス、石ノ神』で現代詩花椿賞、『螺旋歌』で詩歌文学館賞を受賞。

＊2　秋枝美保「吉増剛造「燃える」」『國文學 解釈と教材の研究（32）』學燈社、1987年、110〜113ページ。伊藤真一郎「吉増剛造「燃える」」『國文學 解釈と教材の研究（25）』學燈社、1980年、148〜150ページ。

「黄金の太刀」の共示義

のでしょうか？　この点を理解するためには、「黄金の太刀」から連想されるイメージ、すなわち「黄金の太刀」の共示義について考える必要があります。

日常生活において、私たちが「黄金の太刀」に接する機会はないかもしれません。しかしながら、『ドラゴンクエスト』や『ファイナルファンタジー』といったロールプレイングゲームなどでは、戦士がよく使用するアイテムとして、「黄金の太刀」のようなかっこいい剣がよく登場しています。同じように、古代の神話においても、魔力を持った剣が登場することが少なくありません。例えば、**アーサー王伝説**[*3]では「エクスカリバー」という剣が登場していますし、**ヤマタノオロチ伝説**[*4]では「草薙剣（くさなぎのつるぎ）」という刀が大蛇の体から出てきたと語られています。

吉増剛造（提供：朝日新聞社）

こう考えると、「黄金の太刀」とは、神秘的なエネルギーの象徴にほかならないと言えます。神話に登場する剣や刀が不思議なパワーを秘めていたように、「黄金の太刀」という言葉からも、私たちは神秘的なエネルギーを連想することができるのです。一方、「太陽」から連想されるイメージも同じく、「燃えたぎるような熱いエネルギー」ではないでしょうか。実際、日本人は昔から、生命にパワーを与えるものとして太陽を崇拝してきました。つまり、「黄金の太刀が太陽を直視する」シーンとは、太陽の熱い光によって「太刀が燃えたぎり、本来の魔力を呼びもどす瞬間」[*5]を描いていると言えるのです。

しかしながら、こうした神秘的なエネルギーの化身である「黄金の太刀」は、本来何らかの意志を持っているわけではないので、人間のように「太陽を直視する」ことはありません。したがって、「黄金の太刀が太陽を直視する」というフレーズは、作者が「黄金の太刀」を擬人化して、人間になぞらえているということになります。

そうであれば、この「黄金の太刀」とは、もしかしたら作者自身を指しているのかもしれ

＊3　アーサー王伝説　英国の先住民族ケルト族の古伝説。ウェールズの武将、のちにブリトン人の王となったアーサーに関する伝説で、５～６世紀のサクソン侵入のころ形成され、アーサーの武勇と功績、円卓の騎士の活躍、騎士ランスロットと王妃グィネビアの恋物語などからなる。

＊4　ヤマタノオロチ伝説　出雲神話の一部。高天原（たかまがはら）を追われた素戔嗚（すさのお）尊が出雲に降り、八岐大蛇（やまたのおろち）を退治して同地方を治める物語。

＊5　秋枝美保、前掲書、111ページ。

「黄金の太刀」とは詩人の心にみなぎる活動力の表れ

ません。実のところ、伊藤もこの点について「〈太陽〉に対峙しているのは、実は詩人自身であり、そもそも〈黄金の太刀〉とは詩人の化身にほかならない、と思わせるようなイメージとして、提示されている印象がある」[*6]と指摘しています。つまり、「太陽」に向かいあう「黄金の太刀」とは、詩人の心にみなぎる活動力の表れなのです。

次の行で登場する「ああ」という感嘆は、驚きとも感動ともとれる言葉です。ここであえて行分けされていることにより、「ああ」という言葉から感じられる感情の高まりがいっそう強調されていることに注目できるでしょう。

続く3行目の「恒星面を通過する梨の花！」は、一見するとこれまでの光景とはまったく無関係であり、意味が通らないように思えるかもしれません。しかしながら、私たちは第3章で、詩が因果関係によってではなく、「イメージの重ね合わせ」によって成り立っていることを学びました。こうした視点に立ってもう一度この言葉を考えてみると、「恒星面を通過する梨の花！」というフレーズは、1行目が伝えていた「爆発的なエネルギー」を、別の言い方で形容したイメージであることが分かります。というのも、「恒星」とは核反応によって内部から光を発しつづける星のことであり、「花」の美しさも大地のエネルギーによって生み出されたものと言えるからです。

実際、秋枝はこのフレーズについて、「恒星が、宇宙におけるエネルギーの燃焼を示すなら、花は地上の星、生命の燃焼の一つの形態である」[*7]と指摘しました。つまり、「恒星」も「花」も、内部に秘められていたエネルギーが燃やされた結果として、美しい輝きを発して

*6　伊藤真一郎、前掲書、148ページ。
*7　秋枝美保、前掲書、112ページ。

「黄金の太刀」が「太陽」に、「梨の花」が「恒星」に重ねられている＝イメージの重層化

いるのだと言えるでしょう。

また、「黄金の太刀」が「太陽」に重ねられているように、美しい「梨の花」が「恒星」に重ねられている光景は、絵画ではなかなか表現することができません。私たちは、こうしたイメージの重層化が、まさに詩という想像の世界だからこそ可能となっていることにも注目できます。

2連目では、このような「エネルギーの爆発」が、語り手の心の中でも起こっている様子が描かれています。最初に登場する「風吹く」というフレーズから、読者はまず「風」のイメージを想像するかもしれません。「風」は一般的に、人間の目には見えない神秘的な力が働いている状態を指しています。例えば、「**インスピレーション（直感的なひらめき、霊感）**」という言葉は、ラテン語の「息を吹き込む」という言葉が語源になっていると言われています。そうであれば、この詩における「風」は詩的なひらめきや創造力を表していると言えるかもしれません。

このような「颪」のイメージは、次行の「アジアの一地帯」によって、よりいっそう鮮明になっています。伊藤はこの「アジアの一地帯」という言葉が「中央アジアの草原地帯[*8]」を連想させると指摘していますが、たしかにアジアの草原地帯などに発生する風のイメージは、語り手が抱いている「颪（詩的霊感）」の強さや荒々しさを強調する役割を果たしていると言えるでしょう。

次の「魂は車輪となって、雲の上を走っている」というフレーズも、風のように疾走する「車輪」のイメージを読者の心にかきたてます。詩人の「魂」は凄まじいスピードで天空を駆けあがり、地上の世界から超自然的な世界へと飛躍しているのです。

ここまでを振りかえってみると、語られているイメージ一つひとつが、すべて「詩人の心の中で燃えたぎる、創造的なエネルギー」を表していることが分かります。「黄金の太刀」「太陽」「恒星」「梨の花」「颪」「車輪」といった言葉はどれも、詩を作るために欠かせない精神的なエネルギーをさまざまな形で表現していたのです。

視点が「外の世界の描写」から「語り手の思い」へと移動

「見る」のではなく、「なる」こと

第3連からは、視点がそれまでの「外の世界の描写」から「語り手の思い」へと移動していることに注目しましょう。語り手はここで、詩人の「意志」とは「盲る」ことであると強い口調で述べています。「盲る」とは盲目になること、つまり「見ない」という意味にほかなりません。これは一見すると、詩人の使命とは矛盾しているように思われます。というのも、私たちは詩人の仕事が「見たものを言葉で表現すること」であると思いがちです。言いかえれば、「見る」という行為を、詩人にとって欠かせない作業であると考えているのではないでしょうか。

しかしながら、私たちは第1章で、詩人の使命が「モノを言葉で再現する」ことではなく、「モノの本質をつかみだす」ことであることを学びました。モノに秘められた本質、いわばそれなしにはそのモノが存在し得ないような要素を発見し、それを言葉で表現することこそ、詩人の使命にほかならないのです。

こう考えると、「見る」という行為は結局のところ、モノの表面しか見ないという意味であり、詩人をモノの本質から遠ざけてしまうことであると言えます。実際、伊藤は「見る」という行為が「視覚により〈ぼく〉と物という二元的な関係を作り、〈ぼく〉を物から引き離すこと」[*9]であると指摘しました。私たちはモノを見ているかぎり、いつまで経ってもモノ

*8　伊藤真一郎、前掲書、149～150ページ。
*9　伊藤真一郎、同書、150ページ。

詩人はモノの本質を見るために、あえて「盲る」必要があった

の外側しか認識できません。つまり、詩人はモノの本質をつかむために、あえて「盲る」必要があったのです。

そうであれば、次行の「太陽とリンゴになることだ」という言葉の真意も理解することができるでしょう。モノの本質をつかむためには、私たちは観察者ではなく、いわば「モノそのもの」になりきらなければなりません。語り手のこうした主張は、「似ることじゃない」というメッセージによって再度強調されています。詩人の使命とは、太陽やリンゴに似たモノを表現することではありません。むしろ、太陽の燃えるような熱さやリンゴの存在の重さを感じとり、それを詩という想像的な空間にそのまま蘇(よみがえ)らせることこそ、詩人の存在理由にほかならないのです。

こうした語り手の燃えたぎる思いは、続く「乳房に、太陽に、リンゴに、紙に、ペンに、インクに、夢に！　なることだ」という行でも繰り返されていることにも注目しましょう。「紙」「ペン」「インク」というのは、どれも書く行為に関係する言葉です。私たちは普段、まず頭の中で何を書くのかを先に考えて、それから手を動かすのではないでしょうか。ところが、ここで語り手はそうした精神と肉体の分裂さえも嫌っていることが分かります。あたかも熱湯に触れた手が反射的に動くように、語り手は自分の意識を捨てさることで、モノとの一体化を果たそうとしていると言えるのです。そう考えれば、「紙に、ペンに、インクに」なるという語り手の決意も理解できるでしょう。

それでは、私たちはどうすればモノ「そのもの」になれるのでしょうか？　これに対して

言葉のリズムに身をゆだねることでモノ「そのもの」になろうとする決意

語り手は、「凄い韻律になればいいのさ」と答えています。「韻律」とは、簡単に言えばリズムのことです。第2章でも見てきたように、リズムとは、私たちの生命そのものにほかなりません。心臓の鼓動、潮の満ち引き、昼と夜の交代など、私たちはリズムを通して自然の動きそのものを感じとり、自然と一体になっています。

もしもそうであれば、言葉のリズムを感じることこそ、モノ「そのもの」に限りなく近づくことではないでしょうか。実際、秋枝はこうしたリズムについて、「それは、「そのもの」に対する間髪入れぬ反応である」[*10]と述べています。「凄い韻律になればいいのさ」というフレーズには、言葉のリズムに身をゆだねることによって、モノ「そのもの」になろうとする、語り手の強い決意が表れていると言えるのです。

*10　秋枝美保、前掲書、113ページ。

読者への挑発

　言葉の世界に「モノとの一体化」を求めてゆこうとする詩人は、最後に読者に向かってするどく問いかけます。まず、「今夜、きみ／スポーツ・カーに乗って」というフレーズが2行つに行分けされていることに注目しましょう。こうした細かい行分けによって、読者の読むスピードは高まり、語り手の荒々しい勢いが伝わってくる効果を生んでることが分かります。同じように、「スポーツ・カー」というイメージからも、読者は強烈なスピード感を読みとることができるでしょう。読者は語り手のこうした激しい勢いを感じつつ、「流星を正面から／顔に刺青できるか、きみは！」という衝撃的なメッセージを受けとることになるのです。

「流星」とは、小さな天体が地球の大気圏に突入することにより、高温で発光する現象のことを指しています。これまで私たちは、詩人の創造的なエネルギーが「太陽」や「恒星」といった「星」のイメージで表現されているのを見てきました。これらの星たちが詩のエネルギーを象徴するイメージであるとすれば、流星とは読者が詩を読むことにより、いわば詩の言葉が燃焼される瞬間を指す言葉にほかなりません。実際、秋枝もこの点について、「詩を読むとは、流星と正面からぶつかりあい、「顔に刺青」すること、つまり、自分の肉体に刻印することである」[*11]と指摘しています。

　ここから分かるように、語り手にとって詩を読むとは、決して生易しい行為ではありませ

詩を読むとは、言葉からにじみでるモノの「声」を自分の心に焼きつける「燃える」ような営み

ん。それは心を無にし、言葉からにじみでるモノの「声」を自分の心に焼きつけるという、「燃える」ような営みなのです。「顔に刺青できるか、きみは!」とは、そのような燃えたぎる炎に自分の身を焦がすことができるのか、詩に対する読者の真剣さを挑戦的に問いかけるメッセージであると言えます。

リズムにおける変化

ここまで私たちはこの詩を一行ずつ見てきましたが、最後に視点をズームアウトして、作品全体のリズムについて少し考えてみましょう。この詩は4連に分けられていますが、リズムの観点から見ると、前半の2連と後半の2連は大きく異なっています。例えば、前半の2連には「黄金の太刀が太陽を直視する」といった、長くて重たいイメージもあれば、「風吹く」といった、短い呼吸のようなイメージもあることが分かります。いわば、一つひとつの

*11 秋枝美保、同書、113ページ。

詩を書くとは無意識かつ直観的な行為であることを伝える、リズムの速さ

イメージをゆっくりと正確に語っているのです。こうしたゆったりとしたリズムにより、私たちは詩人が感じている創造的なエネルギーを、個々のイメージから忠実に理解することができます。

一方、後半の2連では、リズムが急激に速くなっています。例えば、3連目では「盲ることだ」「になることだ」「なることだ」という、たたみかけるような表現が何度も繰り返されたり、「乳房に」「太陽に」「リンゴに」といった短い言葉がマシンガンのように次々と発射されたりしている様子から、語り手の激しい勢いが伝わってくるかもしれません。また、4連目でも「スポーツ・カー」「流星」といった言葉から、スピーディーなイメージを感じとることができるでしょう。こうしたリズムの速さは、詩を書くということが、いかに無意識かつ直観的な行為であるのかを私たちに伝えています。このように、リズムに工夫を加えることは、詩のテーマを表現するうえで、とりわけ効果的であると言えるのです。

第6章
批評の実践例・II
——吉原幸子『無題(ナンセンス)』

吉原幸子『無題（ナンセンス）』全文の分析

この章では、本書の冒頭でも取り上げた、吉原幸子の『無題（ナンセンス）』を分析してみましょう。「初めて読んだ時からずっと私の心に残り続けている」[*1]と谷川俊太郎が述べているように、この詩はとても魅力的な作品として詩壇では高く評価されています。一方で、多くの読者にとっては、何が言いたのかさっぱり訳が分からない、非常に難解な作品に思えるかもしれません。いったい作者は、この詩を通してどのような思いを伝えようとしたのでしょうか？今回は、文学者の中根授和による評論[*2]を基底としながら、この詩について詳しく見ていくことにしましょう。

風　吹いてゐる
木　立ってゐる
ああ　こんなよる　立ってゐるのね　木

風　吹いてゐる　木　立ってゐる　音がする

よふけの　ひとりの　浴室の
せっけんの泡　かにみたいに吐きだす　にがいあそび
ぬるいお湯

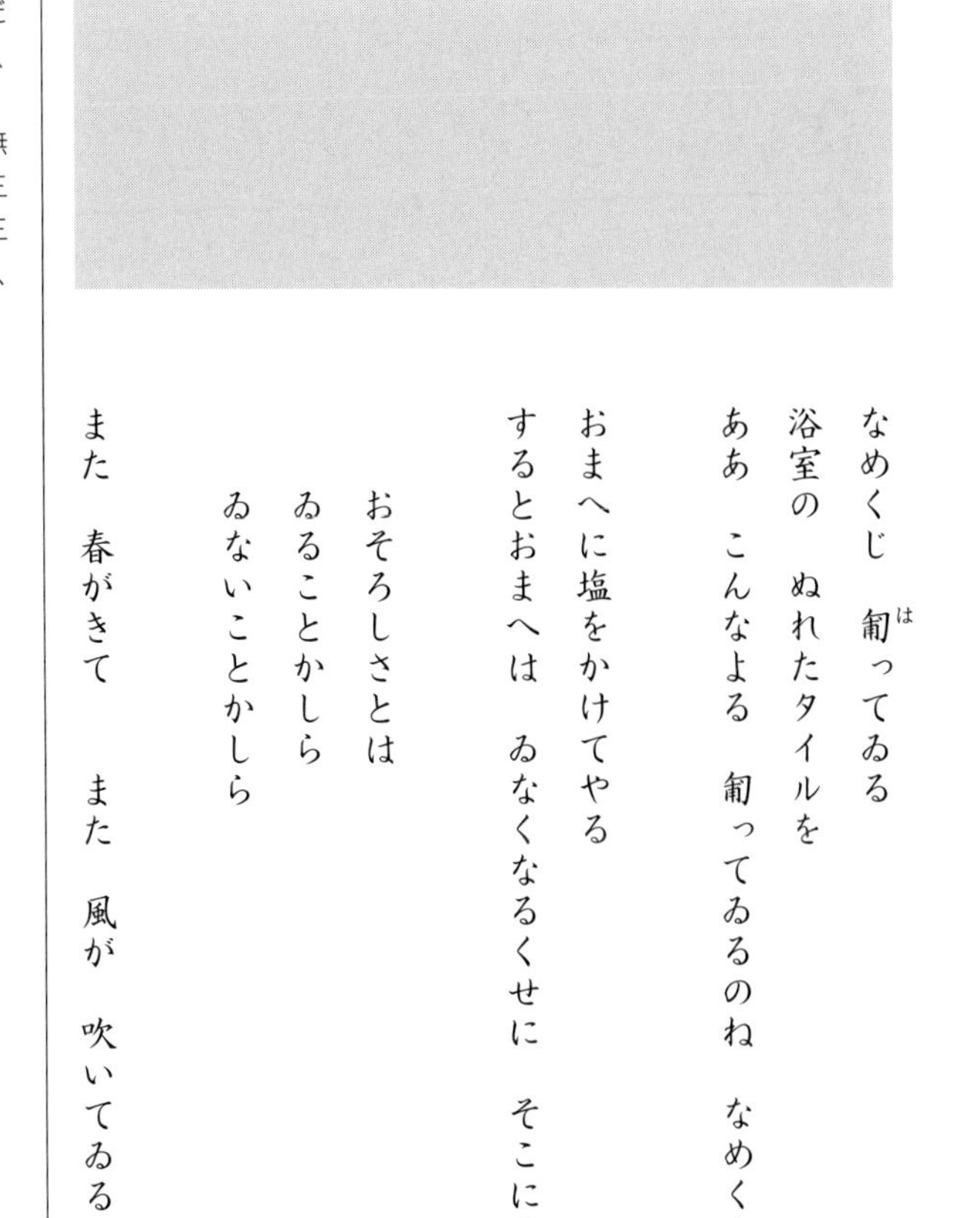

なめくじ　匍（は）ってゐる
浴室の　ぬれたタイルを
ああ　こんなよる　匍ってゐるのね　なめくぢ
おまへに塩をかけてやる
するとおまへは　ゐなくなるくせに　そこにゐる

おそろしさとは
ゐることかしら
ゐないことかしら

また　春がきて　また　風が　吹いてゐるのに

＊1　谷川俊太郎「一度だけ」『吉原幸子全詩Ⅰ』思潮社、1981年、折込。

＊2　中根授和「吉原幸子『無題（ナンセンス）』を読む」『三重大学日本語学文学（1）』三重大学日本語学文学研究室、1990年、73～84ページ。

わたしはなめくぢの塩づけ　　わたしはゐない
どこにも　ゐない

わたしはきっと　せっけんの泡に埋もれて　　流れてしまったの

ああ　こんなよる

余白の効果

さっそく、第1連目を見てみましょう。ここで注目したいのは、余白がたくさん散りばめられていることです。例えば、1行目の「風　吹いてゐる」では、「風」と「吹いてゐる」との間に、なぜか1マス分の余白が置かれています。日本語では、「風が吹いている」というように、助詞を使って物事を表現するのが一般的です。ところが、ここで作者は「が」といった助詞を用いず、「風　吹いてゐる」「木　立ってゐる」のように、わざと1字を空けて余白を作っているのです。

それでは、余白が用いられていることによって、どのような効果が生まれているのでしょうか？　第4章でも述べたように、余白は詩において、特定のイメージを強調するためによ

空白を置くことで、風や木の存在を強く刻む

く使われます。今回の詩でも、余白によって「風」や「木」のイメージが強く押しだされていると言えます。実際、「風」や「木」の後ろに間合いが置かれることで、読者は一瞬息を止めて立ち止まることになり、その瞬間に「風」のイメージや「木」のイメージが、タテに沈み込むように脳裏に入ってくるようになります。一方、もしもこれらの文が「風が吹いている」や「木が立っている」といった、ごく普通の文章で述べられていたとしたら、「風」や「木」のイメージは、あたかも横すべりするようにして私たちの意識を通過してしまうかもしれません。作者はあえて空白を置くことで、風や木の存在が私たちの心に強く刻まれるよう、工夫を加えていたのです。

「存在」への認識

このような「モノが存在する」ことに対する認識

吉原幸子（提供：朝日新聞社）

語順を逆転させることで、「木」の存在があたかも残像のように強く印象づけられる

は、続く「ああ　こんなよる　立ってゐるのね　木」という文によっても強調されています。中根は、「ああ」「こんなよる」「立ってゐるのね」といった言葉から、作者の深い感動が表現されていると指摘していますが、たしかにこうした言葉の一つひとつからは、作者がモノの存在について深く感じている様子がうかがえるでしょう。

実のところ、私たちは日常生活において、この作者のように「木」の存在について認識することはほとんどありません。例えば、私たちは路上でよく見かける「木」の存在についてまったく意識することなく、まるでそれが存在していないかのように通りすぎているのではないでしょうか？　しかしながら、読者はこの詩を読むとき、「木」という言葉に何度も目がひきつけられ、「木」の存在に対して何度も立ち止まることになります。今まで無視していた、「木」そのものの存在感が、私たちの心に深く刻まれることになるのです。

「木」というモノの存在感を読者に感じてもらおうとする作者のこうした意図は、統語論的な角度からも理解できるかもしれません。実際、日本語では、「木　立ってゐるのね　木」というように、主語を先に置くのが一般的です。ところが、作者はあえて「立ってゐるのね」のように、文の語順を逆転させているのです。こうした語順の変化により、最後に置かれている「木」のイメージの余韻が長く続くことなります。今まで見向きもされてこなかった「木」の存在が、あたかも残像のように読者に強く印象づけられることになるのです。

ヨコからタテへのイメージの展開

ヨコからタテへの広がり

次に、第2連目を見てみましょう。中根が述べているように、2連目は「風　吹いてゐる　木　立ってゐる　音がする」というように、1連目と同じ言葉を繰り返すことによって、印象が再度強められていると言えます。しかしながら、作者はただ同じ言葉を反復しているわけではありません。この点について理解するために、もう一度1連目と2連目を並べて比べてみましょう。

風　吹いてゐる
木　立ってゐる
ああ　こんなよる　立ってゐるのね　木

風　吹いてゐる　木　立ってゐる　音がする

このように見てみると、1連目では「風」と「木」のイメージがヨコに広がっているのに対し、2連目ではタテに広がっていることが分かります。作者はなぜ、イメージの展開をわざわざヨコからタテに変えているのでしょうか?

作曲家の**吉崎清富**[*3]は、ヨコからタテにイメージが広がることによって、「木の周りに不規則に吹き付ける風の強さ」[*4]が表現されていることに注目しました。たしかに、「風　吹いてゐる」や「木　立ってゐる」といったフレーズが2拍子で構成されているのに対して、2連目の「風　吹いてゐる　木　立ってゐる　音がする」は5拍子と、テンポが早くなっていることが分かります。中根も、「第一連よりも、こちらに体感されるリズムが早くなったことは確か」[*5]であると述べているように、こうしたリズムの増減は、そのまま作者が実感している風のリズムの動きを伝えていると言えるのです。

そう考えれば、ここで初めて「音がする」という聴覚的なイメージが登場していることもうなずけるかもしれません。風の音が聞こえるという事実は、それだけ風の速さが激しい様子を表しています。そうであれば、「風が木に当たってざわめく音」という聴覚的なイメージによって、語り手は「木」の存在を再度認識したのだと言えるでしょう。

リズムの変化

実際、作者がどれだけ「風」や「木」に読者の注意を向けようとしていたかは、各行の音の数に注目してみると、よりいっそうはっきりと分かります。

風2　吹いてゐる5
木1　立ってゐる5

ああ[2]　こんなよる[5]　立ってゐるのね[7]　木[1]

風[2]　吹いてゐる[5]　木[1]　立ってゐる[5]　音がする[5]

軽快なテンポが乱される「風」と「木」という言葉

第2章でも見たように、日本語にとって一番心地よい音のリズムは、俳句や短歌の中で使われる、「5音」や「7音」のリズムです。したがって、読者は「吹いてゐる」「立ってゐる」「立ってゐるのね」などの5音や7音の言葉をスムーズに読むことができますが、「風」や「木」といった1音や2音の言葉は、どうしても休止を置きながら読まなければなりません。その結果、軽快なテンポが乱される「風」と「木」という言葉に、読者はどうしても注意を向けなければならなくなります。その結果、私たちはますますこうした「風」や「木」の存在について考えるようになるのです。

＊3　**吉崎清富**　作曲家（1940～）。作曲を下総皖一、石桁眞禮生に師事。ユニークな音楽技法によって、ヴィオッティ国際音楽コンクール、ベルリン国際作曲コンクールなどの国際コンクールで入賞を果たしている。

＊4　吉崎清富「ことばのリズムと詩歌のリズム研究」『鹿児島大学教育学部研究紀要．人文・社会科学編 = Bulletin of the Faculty of Education, Kagoshima University. Cultural and social science (56)』鹿児島大学、2004年、76ページ。

＊5　中根授和、前掲書、75ページ。

語り手の倦怠感

第3連目に入ると、外の風景から一転して、今度は作者が現在置かれている状況が語られていることが分かります。みんなが寝静まっている深夜に、彼女は一人でぬるま湯につかって、カニのようにせっけんの泡をぶくぶくと吐きだしながら遊んでいるのです。なぜ作者はこのような場面をあえて詩に書いているのでしょうか？

この点を考えるためには、第3章で学んだ「イメージの重ね合わせ」の原理を当てはめてみる必要があります。つまり、3連目で登場する一つひとつの言葉は、語り手の思いをさまざまなイメージで表現していると仮定してみるのです。例えば、「よふけの　ひとりの　浴室の」というフレーズからは、語り手の孤独な姿が浮かび上がってくるかもしれません。心細いほど静かな夜更けに一人でお風呂に浸かっている、ひとりぼっちでさびしいイメージが、このフレーズから伝わってくるのではないでしょうか。

また、「せっけんの泡」を「かにみたいに吐き出」しているイメージからは、無意味な動作を繰り返しているという点で、語り手の「けだるさ」を感じることができます。実のところ、泡を吐きだすという動作は、語り手にとって何の生産性もなく、楽しくもない「にがいあそび」にすぎないのです。

さらに、つづいて登場する「ぬるいお湯」という一節は、熱くも冷たくもない、どっちつかずの状態を指す言葉です。したがって、この言葉はそのまま、語り手が感じている「生ぬるさ」や「倦怠感」を読者に伝えていると言えるでしょう。実際、この言葉だけが改行されて独立に置かれていることからも、このようなけだるいイメージがひときわ強調されていることが感じられるかもしれません。このように、一つひとつのイメージの重ね合わせから、私たちは3連目の言葉がすべて、語り手の「存在感の軽さ」を表現していることを理解することができるのです。

ここまでの流れをまとめてみると、「風」や「木」といった「モノの存在感」と対立するかたちで、語り手自身の「けだるさ」が描写されていることが分かります。いつもはまったく気づかない、様々なモノの存在が強く意識されているのに対して、語り手の方は確固たる目的もなく、けだるそうに生きているという点で、その存在の薄さがよりいっそう際立って見えるのです。

「なめくじ」への殺意

こうしたモノと語り手との対照性は、4連目でも続いています。例えば、ここで登場する「なめくぢ　匍ってゐる／浴室の　ぬれたタイルを」という一節において、語順が逆転していることに注目しましょう。本来であれば、「浴室の　ぬれたタイルを／なめくぢ　匍ってゐる」と述べる方が日本語の文法としては自然なのに、ここでは文の順番があえて逆さになっているのです。語順にこうした工夫を加えることで、私たちは「なめくぢ」の存在があ

対照的なモノの存在感と語り手の倦怠感

たかもいきなり目の前に現れたような、きわめて強い印象を受けるのではないでしょうか。語り手の存在はとても不安定であるのに対して、「なめくぢ」の方は強烈な存在感を放っているのです。

実のところ、語り手が「なめくぢ」の存在をどれほど強く認識していたのかについては、次の「ああ　こんなよる　飼ってゐるのね　なめくぢ」というフレーズからもうかがうことができます。1連目における「木」や「風」と同じように、語り手は日常生活のなかでスッポリと消えうせていた、「なめくぢ」という他者の存在をはっきりと意識しているのです。また、続く5連目では「おまへに塩をかけてやる」というように、「なめくぢ」を「おまへ」と呼んでいます。語り手にとって「なめくぢ」の存在は、「おまへ」という、あたかも確固とした意志を持っている他者として、ありありと認識されているのです。

「なめくぢ」の強烈な存在感への妬み

「なめくぢ」と語り手の存在論的格差

それでは、なぜ語り手は「なめくぢ」に塩をかけようとしたのでしょうか？　もちろん、「なめくぢ」は人間から嫌われている害虫だからという可能性もあるでしょう。しかしながら、ここまでの文脈を考慮すると、語り手が抱く「なめくぢ」に対する敵意は、「なめくぢ」が持っている存在感への妬(ねた)みであると言えるかもしれません。作者はだるい湯船のなかで、面白くもない遊びを惰性的に行っている、いるのかいないのか分からない、泡のようなフワフワとした存在であるのに対し、「なめくぢ」の存在感の方は、作者から「おまへ」呼ばわりされるほど、ずっしりと重いのです。このような一種の存在論的な格差が、「なめくぢ」に対する殺意を語り手の心に芽ばえさせたのだと言えます。

*6　中根授和、同書、79ページ。

殺してしまった後でかえって強まる「存在感」

ところが、ここで恐ろしい事態が発生します。塩をかけてナメクジを殺した語り手は、「するとおまへは　ゐなくなるくせに　そこにゐる」という現実、つまりナメクジが「肉体的には消滅してしまっても、殺した自分にとっては、かえってその存在が意識される」[*6]という、奇妙な現実に直面してしまったのです。

「いないのに存在している」という逆説は、一見すると矛盾しているように感じられるかもしれません。しかしながら、殺人を犯した犯人が「罪の意識」にとらわれてしまい、殺した相手の存在がかえって強く意識されてしまうという展開は、ミステリー小説などではよくあるケースではないでしょうか。同じように、語り手にとって「なめくぢ」は殺したいほど憎い存在ではありましたが、殺してしまった後は、逆にその「存在感」が生きている「なめくぢ」以上に重くなっていることが分かります。相手を殺してしまったことによって、語り手と「なめくぢ」との関係は、いよいよ抜き差しならない関係に陥ってしまったのです。

「存在」と「不在」の逆転

次の第6連では、それまでの恐怖の場面から、語り手が心に抱いている思想へとシーンが移動していることが分かります。こうした視点の転換を可能にするために、語り手が余白を効果的に用いていることに注目しましょう。実際、他の連と比べて、この6連目だけが2字下がっていることにより、これが語り手の内面の思いを語っている部分であることが読者の目にははっきりと認識されるのです。

ここで考察されているのは、「存在」に対する語り手の「違和感」であると言えるかもしれません。そもそも、語り手は「なめくぢ」の存在を消そうとして塩をかけたのにもかかわらず、「なめくぢ」の存在感は、かえって死ぬ前よりも大きくなってしまったのです。そうであれば、「存在」とは結局のところ、私たちが思っている以上にあいまいで、不安定な概念であると言えるのではないでしょうか？　いわば、不在の「なめくぢ」の方が生きている「なめくぢ」よりも「おそろしい」存在であるという価値観の逆転が、ここで起こっているのです。

このような「存在」と「不在」の逆転が、今度は語り手自身にも襲いかかることになります。7連目の「また　春がきて　また　風が　吹いてゐるのに」では、冒頭に登場した「風」の存在を語り手が再び認識していることに注目しましょう。「風」「木」「なめくぢ」といったモノは、いつまでも存在し続けているのに対し、8連目では「わたしはなめくぢの塩

語り手の「わたし」は、死んだ「なめくぢ」よりも生きている実感がない

づけ　　わたしはゐない／どこにも　ゐない」と、はっきりと対比されるような形で語り手の「不在」が述べられているのです。

しかも、先に登場した「なめくぢ」は、死んでもなおその存在感が生々しく感じられたのに対して、語り手である「わたし」の方は、「ゐない」が何度も繰り返され、その存在感がまったくと言って良いほどありません。語り手の「わたし」は、死んだ「なめくぢ」よりも生きている実感がないのです。

こうした、「わたし」の置かれている空虚なイメージは、9連目の「わたしはきっとせっけんの泡に埋もれて　流れてしまったの」でも同じように繰りかえされていることが分かります。壊れやすい「せっけんの泡」に埋もれているというイメージは、語り手である「わたし」が「せっけんの泡」のようなはかない存在であることを読者に認識させる効果を生んでいると言えるでしょう。

そして最後に、「ああ　こんなよる」という、語り手の絶望にも似た叫びによって作品は幕を閉じます。「ああ」という感嘆からは、自分が死んだ「なめくぢ」ほどにも存在感がないことに対する、作者の不安や苦しみが伝わってくることでしょうし、最後に「こんなよる」という言葉が置かれることで、語り手が過ごす「よる」の孤独感がいつまでも読者の心に響くことになります。つまり作者は、「木」「風」「なめくぢ」などといった「モノの存在」を強調させることで、自分の存在感が軽くて無意味なものであることを効果的に表現しているのです。

リズムの構造

この章の終わりに、リズムの視点からもう一度作品全体を見てみましょう。この詩は定型詩のように、伝統的な「5音」や「7音」のリズムですべての文が構成されているわけではありません。しかしながら、代わりに「ゐる」「よる」「する」などといった**脚韻（ライム）**が置かれていることが分かります。例えば、1連目と2連目を見てみると、

風　吹いてゐる
木　立ってゐる
ああ　こんなよる　　立ってゐるのね　木

風　吹いてゐる　　木　立ってゐる　　音がする

というように、「る」の音が畳みかけるように何度も登場しています。こうした脚韻によって、詩に一定のリズムが生まれ、読者はテンポよく詩を読むことができるのです。

さらに、そうした「る」の脚韻が、8連目で「わたしはゐない／どこにも　ゐない」と唐突に否定されていることにも注目してください。実のところ、それまで「る」の韻で文が続いてきたことから、読者は8連目でも「る」の韻が現れるのを期待するかもしれません。し

脚韻（ライム）が突然そぎ落とされる

かしながら、ここで脚韻が「ゐない」という言葉によって突然そぎ落とされることにより、読者は8連目における「わたしの不在」にいっそう引きつけられることになるのです。

以上、第5章と第6章では、二つの作品をさまざまな視点から分析してきました。このように分析してみると、詩は決して一読して分かるような存在ではないことが理解できます。実際、今回取りあげた詩はどれも、「余白」「リズム」「イメージ」「逆説」など、一つひとつの要素が絶妙に反響しあうことによって、はじめて調和のとれた作品を作りあげていることが分かります。詩は何度読んでも新しい発見が味わえる、とても奥が深い芸術作品なのです。

おわりに

かつて、イギリスの批評家ウィリアム・エンプソンは、「説明されない美しさは私をいらだたせる」と述べました。もしもある作品が多くの人々に感動をもたらすものであれば、そこには人の心を揺さぶることができる、何らかのメカニズムが隠されているはずです。そうした美のメカニズムを研究し、人々に伝えることこそ、批評家の役割だと彼は考えたのです。

しかしながら今日、詩、とりわけ現代詩というジャンルは、未だに「暗黒大陸」と呼ばれるにふさわしい領域かもしれません。いわばそれは「言葉に心臓をひっつかまれる」（大岡信）病気にかかった人だけが理解できる領域であり、そうした熱病にかかったことのない私たちにとっては、決して踏み入れることのできないような印象を与えているのではないでしょうか。

このような時こそ、詩の美しさを説明してくれる入門書が特に求められていると言っても過言ではないでしょう。本書はこうした状況に鑑みて、高校生からでも詩のメカニズムが理解できるよう、なるべく平易な言葉で解説するように配慮しました。二〇二二年度からは国語教育も大きく変わり、詩の教育は今後ますます軽視されていくかもしれません。しかしながら、若い人が詩をまったく知らずに大人になっていくというのは、とても悲しいことではないでしょうか。多くの方がこの本を通して、少しでも詩を身近に感じてくれたなら、筆者にとってこれに勝る喜びはありません。

もちろん、やさしい言葉づかいを選ぶことにはデメリットもあります。場合によっては分かりやすさを追い求めるあまり、内容を極端に単純化してしまったり、広範性を犠牲にしてしまった部分もあるかもしれません。こうした点に関しては、識者のご指摘、ご叱正を切にこい願うとともに、そうした批判の中から、より分かりやすく、より適切な詩の解説書が新たに生まれることを心から望んでいます。

この場を借りて、五月書房新社の代表取締役である柴田理加子さん、編集長の大杉輝次郎さん、ならびに辛抱強く編集に携わってくださった片岡力さんに厚く御礼申し上げます。また、原稿にきわめて手厳しい意見を出してくださった、二〇二一年度の卒業生たちには大変お世話になりました。

*

本書をかつて保護者として支えてくれた父、昌明、そして母、寿に贈りたいと思います。

二〇二一年六月一日

小林真大

参考文献（注に載せた以外のもの）

池上嘉彦『詩学と文化記号論　―言語学からのパースペクティヴ―』講談社、１９９２年。

伊藤康圓「萩原朔太郎の詩法と詩論」『文藝論叢 = Literary Arts Selection Of Treatises（29）』文教大学女子短期大学部文芸科、１９９３年。

上倉庸敬「詩におけるイメージと概念」『美学（30）』美学会、１９７９年。

川島清・鶴田恭子「詩感　―現代詩における〝難解〟の研究―」『育英短期大学研究紀要（23）』育英短期大学、２００６年。

木村光一「日本現代詩研究ノート」『茨城大学教養部紀要（24）』茨城大学教養部紀要、１９９２年。

河野仁昭「現代詩の伝統と変革　―「荒地」グループの場合―」『人文科学（２）』同志社大学人文科学研究所、１９７４年。

今野真二「イメージの連鎖：詩的言語分析の覚え書き」『清泉女子大学人文科学研究所紀要（37）』清泉女子大学人文科学研究所、２０１６年。

菅邦男「詩の鑑賞指導：表象化の過程の位置づけ」『国語科教育（22）』全国大学国語教育学会、１９７５年。

須田慎吾「日本近現代詩における韻律の問題：日本近代詩史再構築の試み」『FORMES = フォルム（２）』首都大学東京大学院人文科学研究科表象文化論分野南大沢言語文化研究会、２０１９年。

武田寅雄「萩原朔太郎論：詩文体の展開について」『研究紀要 = Shoin review（４）』松蔭短期大学、１９６２年。

中村稔『現代詩の鑑賞』青土社、２０２０年。

星野徹『詩とは何か　―詩論の歴史―』思潮社、２００３年。

ミカエル・リファテール『詩の記号論』斎藤兆史訳、勁草書房、２０００年。

水野尚「詩人と批評家：中原中也と小林秀雄のことば」『言語と文化（15）』関西学院大学言語教育研究センター紀要委員会、２０１２年。

山口和子「芸術の力とメタファー」『メタフュシカ（35）』大阪大学大学院文学研究科哲学講座、２００４年。

山本捨三「現代詩のイメージに關する一考察」『相愛女子短期大学研究論集（２）』相愛女子短期大学、１９５５年。

【著者紹介】

小林真大（こばやし・まさひろ）

山形県生まれ。早稲田大学国際教養学部卒業。岐阜女子大学大学院文化創造学研究科文化創造学専攻修士課程修了。IB JAPANESE オンラインスクール代表。現在インターナショナルスクールで国際バカロレアの文学教師を勤める。また、オンラインで海外子女への国際バカロレアの指導も行っている。著書に『文学のトリセツ　「桃太郎」で文学がわかる！』（五月書房新社、2020年）、『「感想文」から「文学批評」へ　高校・大学から始める批評入門』（小鳥遊書房、2021年）、『生き抜くためのメディア読解』（笠間書院、2021年）、『あじわう文学レッスン　文字と符号からひも解く小説のしくみ』（雷鳥社、2022年）など。

ホームページ:https://www.ibjapanese.com

詩のトリセツ

詩を読むチカラを身につける！

本体価格……一六〇〇円

発行日……二〇二一年　九月　一日　初版第一刷発行
二〇二四年　五月　一日　初版第二刷発行

著者……小林真大

発行者……柴田理加子

発行所……株式会社 五月書房新社
東京都中央区新富二―一一―二
郵便番号　一〇四―〇〇四一
電　話　〇三（六四五三）四四〇五
ＦＡＸ　〇三（六四五三）四四〇六
ＵＲＬ　www.gssinc.jp

装幀……今東淳雄

編集／組版…片岡　力

印刷／製本…株式会社 シナノパブリッシングプレス

ISBN: 978-4-909542-35-9 C0037

文学のトリセツ

「桃太郎」で文学がわかる！

小林真大（まさひろ）著

構造主義批評・精神分析批評・マルクス主義批評・フェニズム批評・ポストコロニアル批評…。文学って、要するに何？　国際バカロレア教師が「桃太郎」を使って教える「初めての文学批評」。好評につき増刷出来！

1600円＋税　A5判並製

ISBN978-4-909542-27-4 C0037

デュー・ブレーカー

エドウィージ・ダンティカ著、山本 伸訳

夫は、わたしの身内を拷問した「デュー・ブレーカー」（拷問執行人）かもしれない…。9つのエピソードが星座のように配置されるとき、故国ハイチの社会的記憶が静かに浮かび上がる。

2200円＋税　四六判上製

ISBN978-4-909542-10-6 C0097

クリック？　クラック！

エドウィージ・ダンティカ著、山本 伸訳

カリブ海を漂流する難民ボートの上で、屍体が流れゆく「虐殺の川」の岸辺で、NYのハイチ人コミュニティで…、女たちがつむぐ10個の物語。「クリック？（聞きたい？）」「クラック！（聞かせて！）」

2000円＋税　四六判上製

ISBN978-4-909542-09-0 C0097

ゼアゼア

トミー・オレンジ著、加藤有佳織訳

分断された人生を編み合わせるために、全米各地からオークランドのパウワウ（儀式）に集まる都市インディアンたち。かれらに訪れる再生と祝福と悲劇の物語。アメリカ図書賞、PEN／ヘミングウェイ賞受賞作。

2300円＋税　四六判上製

ISBN978-4-909542-31-1 C0097

わたしの青春、台湾

傅楡（フー・ユー）著、関根 謙・吉川龍生監訳

台湾ひまわり運動のリーダーと人気ブロガーの中国人留学生を追った金馬奨受賞ドキュメンタリー映画『私たちの青春、台湾』の監督が、台湾・香港・中国で見つけた〝私たち〟の未来への記録。台湾デジタル担当大臣オードリー・タン推薦。

1800円＋税　四六判並製

ISBN978-4-909542-30-4 C0036

緑の牢獄

沖縄西表炭鉱に眠る台湾の記憶

黄（コウ）インイク著、黒木夏兒訳

台湾から沖縄・西表島へ渡り、以後80年以上島に住み続けた一人の老女。彼女の人生の最期を追いかけて浮かび上がる、家族の記憶と忘れ去られた炭鉱の知られざる歴史。ドキュメンタリー映画『緑の牢獄』で描き切れなかった記録の集大成。

1800円＋税　四六判並製

ISBN978-4-909542-32-8 C0021

GOGATSU
㈱五月（ごがつ）書房新社
〒155-0033　東京都世田谷区代田 1-22-6
☎ 03-6453-4405　FAX 03-6453-4406　www.gssinc.jp